L506

# Prélude

## Get ready for French

# *L506 project team*

**OU team**

Ghislaine Adams (project manager)
Ann Cobbold (project secretary)
Tony Duggan (project controller)
David Hare (team member/author)
Pam Higgins (designer)
Marie-Noëlle Lamy (project chair/author)
Ruth McCracken (reading member)
Carolyn Medd (editor)
Hélène Mulphin (team member/author)
Anne Stevens (reading member)
Betty Talks (BBC producer)

**External assessor**

Dr Robert Powell (Director of the Language Centre,
University of Warwick, Coventry)

Interviews by Nadine Wakefield
Three songs sung by Gérard Pierron
Story by Hélène Mulphin
Additional contributions from Rod Hares

The Centre for Modern Languages at the Open University is indebted to the BBC for the use of the audio interviews originally recorded for the Restart French series.

The Open University, Walton Hall, Milton Keynes MK7 6AA

First published 1994. Reprinted 1995; 1996; 1997; 1998



Edited, designed and typeset by the Open University

Printed and bound in the United Kingdom by the Alden Group, Oxford

ISBN 0 7492 6276 1

This pack may be used as preparation for studying the Open University course L120 *Ouverture; a fresh start in French*. If you would like a copy of *Studying with the Open University* or more information on Open University language materials, please write to the Central Enquiries Data Service, P.O. Box 625, Dane Road, Milton Keynes MK1 1TY.

1.5

# Contents

# Introduction

## What is *Prélude*?

*Prélude* is a pack containing approximately 24 hours of study, and aimed at improving your skills in French, after, perhaps, a period when you have not had much opportunity to practise the language. The pack concentrates on the four language skills: listening, reading, speaking and, to a lesser extent, writing. During the time you spend studying this pack, you will relearn some basic elements of French grammar, and quite a bit of useful everyday vocabulary. The topics covered, and the types of phrases practised, have been selected to be of particular use to you in communicating with French people in everyday situations.

## What's in *Prélude*?

In this pack, you will find a book and a C90 audio cassette. The book takes you through a wealth of activities, many of them built around the stories and interviews which you will hear on the cassette. You are told what the best order is for studying, and which audio extracts to play when. However, you may well find yourself in a place (a car or a train, for instance), where it is more convenient to work with the cassette only. This is fine as it has been designed for combined book and tape study, or audio work alone.

## How will you learn?

*Prélude* has been written specifically with the needs of the lone learner in mind. Whether you are studying at home, on journeys, or in your workplace, *Prélude* assumes that there is no teacher available. Consequently, the authors of the pack have been careful to explain throughout what the point of every exercise is and what you will learn. Furthermore, great attention has been paid to encourage you to develop good study skills, in particular good language learning skills, to help you not only with this pack, but also when you go on to more advanced study.

Here are a few pointers which will help you get the best out of *Prélude*.

## The '*activités*' and their '*corrigés*'

Each of the nine sections contains around ten exercises, called *activités*, which will help you get back to listening, reading, speaking and writing in French. *Activités* generally have an answer for you to check how you're doing. These answers, the *corrigés*, are to be found at the end of the book (see page 77). Sometimes in an *activité* we ask you to give a personal answer, reflecting on your own circumstances, and we aren't able to provide you with a *corrigé* for these. However, you'll find that we only ask you to do this kind of exercise after you have practised the phrases that you might need.

The first *activité* is generally a comprehension exercise. We ask you to listen to an audio extract first before reading the questions. However, if you feel you need more help you may wish to read the questions first.

There are pronunciation and role-play exercises recorded on the cassette and there will be gaps in which you can repeat or answer. If you need more time after the prompt, do pause the tape and prepare what you want to say. Then play the cassette again and give your answer.

## The story

*Prélude* contains a mystery story, *Nicotine et vieilles amours*, whose plot runs throughout the book. You'll hear the chapters of the story read out on the cassette, and it is meant first for you to listen to. There are various *activités* connected to it, which you're going to do as you work through the sections of the pack. However, we would also encourage you to read the story, so at various points in the book we suggest an appropriate moment for you to take stock of the story so far by going back over several chapters and reading them. For this reason, *Nicotine et vieilles amours* is printed as a whole (see page 95).

## The interviews

Towards the middle of each section of the pack, you will also listen to interviews on the cassette, conducted by Nadine who visited the Creuse, an area of Central France. She spoke with different local people (eg, a grandmother on the occasion of her grandson's wedding, a hotelier, a landlady, an estate agent, a chef, and a job centre manager). Listening to these interviews, and doing the *activités* connected with them, you'll become aware of different spoken styles, and you'll gain an insight into the preoccupations of local people in a typical area of rural France.

Within each section, the story chapters and the interviews run in parallel, sometimes echoing each other's themes (eg, families in Section 1), sometimes illustrating similar language points (eg, using the words *du, de la, des* to discuss food in Section 5). In this way, you'll have opportunities to look at particular issues again and again, but in different ways, consolidating your knowledge.

## The songs, rhymes and mnemonics

You will also hear short songs, rhymes and mnemonics as you listen to the cassette. In the book, you'll find them under the title *Pour le plaisir* (for pleasure), as they are provided mainly for fun and there are no *activités* connected with them. They'll give you a flavour of spoken French, as many are derived from popular or childhood songs and sayings. But they've also been chosen to help you memorize some of the more serious language points taught in the book.

## The transcripts

At the end of the book, you will find transcripts of *Nicotine et vieilles amours* (see page 95) and Nadine's interviews (see page 105). You are generally asked to listen to a passage before attempting an *activité*. You can listen as often as you like, but if you're tempted to read the transcripts while listening, try to resist! You'll learn more by trying to figure things out for yourself. Unless we specify otherwise, only consult the transcripts as a last resort.

## The vocabulary

The final part of *Prélude* is called *Les mots et les expressions*, and it gives you help with the vocabulary used in the story and the interviews. Words and phrases are listed in the order in which you meet them as you work through the audio extracts mentioned in the book. What was said above about looking at transcripts also applies to looking up vocabulary. Try to guess the meaning of the words first and only look them up if you're really stuck. Also, from time to time we use grammatical terms in the book. If you have any difficulty understanding the meaning of words such as 'noun', 'adjective', 'infinitive' etc, please see the explanations under *Les mots de la grammaire* (see page 128).

Finally:

- Don't set yourself impossible targets when working through an *activité*. To do well you don't necessarily have to achieve anywhere near 100%. In the early sections we try to remind you of this.
- You might find it helpful to zero the tape counter when you begin each audio exercise. It will be easier then to rewind the cassette and listen again to any bits that you haven't understood. Do this as many times as you need to.
- Keeping a notebook of all your answers is a good way of ensuring that you keep track of your learning.

# Section 1

In this section family gatherings are the main theme. You will be listening to the first two chapters of our mystery story, *Nicotine et vieilles amours*. Then, in the taped interview, you'll hear Mme Rance talking to Nadine just before a family wedding. By listening to these audio extracts you will learn how to say what your name is, how old you are, where you come from and how to talk about your family. We also give you hints on how to become a more skilful listener by focusing on how people naturally repeat themselves as they talk.

## Premier chapitre: Anniversaire de mariage

In the first chapter of the story the narrator, Geneviève, introduces various members of her family as they are gathered to celebrate a big event.

The first two *activités* will test your comprehension of this chapter.

### Activité 1

**AUDIO 1**

Listen to the first chapter of the story a few times, then jot down the answers to the following questions in English.

*Écoutez le chapitre 1 de l'histoire puis répondez aux questions suivantes en anglais.*

1 How important has the art college been in the grandparents' lives?

2 Why did they choose 21 July to get married?

3 Who gets along best in the family?

4 Who doesn't get on very well?

### Activité 2

**AUDIO 1**

Listen to the story again in order to complete Geneviève's family tree opposite.

*Écoutez de nouveau l'histoire pour compléter l'arbre généalogique de Geneviève ci-contre.*

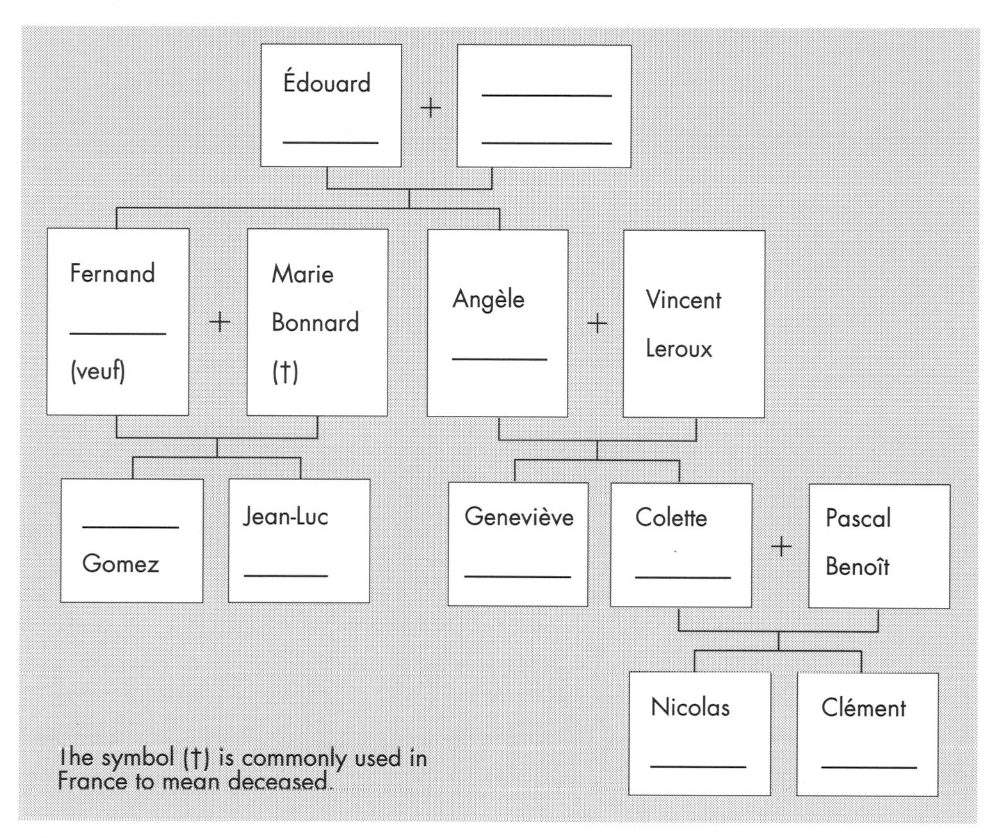


**Arbre généalogique**

## *Introducing yourself*

### Saying what your name is

You may have noticed in Chapter 1 of the story how Geneviève describes her grandfather: *Il s'appelle Édouard Gomez* (his name is/he's called Édouard Gomez). When you meet a French person for the first time you need to be able to introduce yourself. In the right-hand column below we have listed the types of phrases you could use in reply to the questions given on the left.

| | |
|---|---|
| Comment vous appelez-vous? | Je m'appelle Pascal Benoît |
| Quel est votre nom? | Mon nom, c'est Angèle Leroux |
| Quel est votre prénom? | Je m'appelle Jean-Luc |
| La sœur de Geneviève, comment s'appelle-t-elle? | Elle s'appelle Colette |
| Comment s'appelle le père de Pierrot? | Il s'appelle Fernand |

### Saying what nationality you are and where you come from

Once people know your name, they may well want to know where you come from. The sort of questions you might be asked are listed below with some replies.

| | |
|---|---|
| Quelle est votre nationalité? | Je suis américain/américaine |
| Vous êtes de quelle nationalité? | Je suis irlandais/irlandaise |
| Vous êtes australien/australienne? | Non, je suis néo-zélandais/néo-zélandaise |
| Les parents de Jim sont écossais? | Non, ils sont gallois |
| Vous êtes d'où exactement? Vous êtes de Londres? | Non, je suis de Manchester |
| Elle est d'Édimbourg? | Oui, mais son mari est d'Aberdeen |

### Saying your age

Finally, if you hear the phrases listed on the left below, you're being asked about your age, or somebody else's. Answer as shown on the right, making very sure you use the verb *avoir* and the word *ans*.

| | |
|---|---|
| Vous **avez** quel âge? | J'**ai** vingt-cinq **ans** |
| Quel âge **a** le grand-père? | Il **a** quatre-vingt-quatre **ans** |

In the next *activité* you will practise the phrases you have just learned and use what you now know about Geneviève's family.

## Activité 3

AUDIO 1

Listen once more to the first chapter of the story and look at the family tree on page 5. You should now have a good idea of who's who in Geneviève's family. Answer the following questions in French, using the phrases you learned above in 'Introducing yourself' (write a sentence for each answer and write the ages in full).

*Écoutez de nouveau le chapitre 1 de 'Nicotine et vieilles amours' et regardez l'arbre généalogique. Répondez en français aux questions suivantes.*

1 Quel est le prénom de la grand-mère de Geneviève et quel âge a-t-elle?

2 Quelle est la nationalité du grand-père? Quelle est la nationalité de ses parents?

3 Quel âge ont Lucienne et Édouard quand ils se marient?

4 Quel âge ont les neveux de Geneviève et comment s'appellent-ils?

5 Geneviève a deux cousins. Quel est le nom du plus jeune?

# Interview: La grande famille de Mme Rance

Mme Rance has come to Aubusson for the wedding of one of her many grandchildren. In Nadine's first interview, that you are about to hear on cassette, she talks about the people in her family, giving their names and describing how they are related to each other.

## Activité 4

AUDIO 2

1 When talking to Nadine, Mme Rance mentions ten first names. Listen to the conversation and tick the ones you hear. Add the name which is missing from the list.

*Mme Rance mentionne dix prénoms. Cochez-les dans la liste ci-dessous et ajoutez le prénom qui manque.*

| | | | |
|---|---|---|---|
| Alexandre | ❑ | Huguette | ❑ |
| Arlette | ❑ | Lucette | ❑ |
| Arletty | ❑ | Marie-Laure | ❑ |
| Anne-Marthe | ❑ | Marie-Claude | ❑ |
| Anne-Marie | ❑ | Philippe | ❑ |
| Amédée | ❑ | Francis | ❑ |
| Catherine | ❑ | Phyllis | ❑ |
| Camille | ❑ | Sandrine | ❑ |
| Frédéric | ❑ | Céline | ❑ |
| Frédérique | ❑ | Stéphane | ❑ |
| Hughes | ❑ | Stéphanie | ❑ |
| Louisette | ❑ | ? | |

2 Now write the ten names in the correct boxes.

*Maintenant écrivez chaque nom dans la case qui convient.*

| | |
|---|---|
| Les quatre filles de Mme Rance s'appellent: | |
| Ses trois petits-fils s'appellent: | |
| Ses trois petites-filles s'appellent: | |

### Listening for repetitions in a conversation

Let's look back through the interview at some common patterns of speech. If you become aware of what they are, you will take a step towards understanding French conversation.

The most striking feature was Mme Rance's tendency to use repetition. She repeated expressions used by her interviewer, sometimes word for word and sometimes with small changes.

Nadine's *le mariage de votre premier petit-fils* was 'repeated' by Mme Rance as *le troisième mariage de mes petits-fils.* She then picked up on *combien de petits-enfants?* repeating *petits-enfants.* A few seconds later, Nadine's *et les petits-enfants?* was returned as *alors, les petits-enfants.*

In a conversation, we pick up other people's words and reuse them, often without noticing. We may do this as a form of deference, or as a means of giving ourselves time to plan our responses or to show we are listening and have understood. Repetition also serves to 'move' the conversation along and give it rhythm. Such repetitions are helpful to you when you are listening, because they give you time to make sense of what is being said. To help you become aware of this, you could first try listening for repetitions in English. Select a television interview, for instance, or a snippet of conversation between two of your friends, and concentrate for a few moments on how each person uses repetition. Once you have noticed the way this works, you will be more receptive to it when you listen to French dialogues.

## Deuxième chapitre: Coup de sonnette imprévu

Chapter 2 of the story sees the narrator's family gathered round the table for Sunday lunch. Geneviève's mother is on the offensive, dropping heavy hints to her daughter, when all of a sudden the doorbell rings.

### Activité 5

**AUDIO 3**

Listen to Chapter 2 of the story on the cassette and jot down the answers to the following questions in English.

*Écoutez le chapitre 2 de l'histoire puis répondez à ces questions en anglais.*

1 What would Geneviève's mother dearly like her to do?

2 Geneviève and her mother disagree about somebody. Who is it, and why?

3 Why is everybody surprised by the sound of the doorbell?

4 Why is Édouard the only one who calmly carries on eating?

It is not always easy to hear the difference between numbers such as *six* and *seize* or *treize* and *trente.* Five different numbers are mentioned at the beginning of Chapter 2. Check that you understand them by doing the next *activité.*

### Activité 6

AUDIO 3

Listen again to *Coup de sonnette imprévu* from *'Ma mère voudrait...'* to *'Comme ils sont heureux'*. For each line below circle the number you hear.

*Réécoutez le début du chapitre 2 et encerclez dans chacune des lignes ci-dessous le chiffre que vous entendez.*

| | | | |
|---|---|---|---|
| (a) | 6 | 16 | 60 |
| (b) | 2 | 10 | 12 |
| (c) | 5 | 15 | 50 |
| (d) | 3 | 13 | 30 |
| (e) | 6 | 16 | 60 |

### Activité 7

Read the transcript of the first two chapters of the story (page 95). If there are words you don't understand, check them in the vocabulary section.

*Lisez les deux premiers chapitres de l'histoire.*

## Conveying your impressions

You may have noticed the use of *comme* in exclamations:

> ***Comme*** *ils sont heureux!* ***Comme*** *c'est beau!*
> How happy they are! How beautiful it is!

You may also have noticed the expression *avoir l'air* + adjective. Look at the following examples:

> *Colette* ***a l'air*** *heureuse.*
> Colette looks happy.
>
> *Non, elle* ***a l'air*** *épuisée!*
> No, she looks exhausted!

The next *activité* will give you some pronunciation practice and more examples of how to convey your impressions.

### Activité 8

AUDIO 4

First read the sentences below. Then listen to Audio Extract 4 and practise repeating the sentences.

*D'abord lisez les phrases suivantes. Ensuite, écoutez l'Extrait 4 et répétez chaque phrase dans la pause.*

1 Comme elle a l'air heureuse, ta sœur!

2 Ce gâteau... Comme il a l'air bon!

3 Ils sont nés le même jour, la même année. Comme c'est bizarre!

4 Les jumeaux de Colette, comme ils sont mignons!

5 Une grande famille, comme c'est beau!

6 Fernand, comme il a l'air épuisé, en ce moment!

In the last *activité* of this section you will be given a chance to practise introducing yourself.

## Activité 9

**AUDIO 5**

Answer the questions recorded on the cassette in French, giving full sentences.

*Répondez en français aux questions enregistrées sur la cassette. Faites une phrase complète par réponse.*

## Pour le plaisir

**AUDIO 6**

Now listen to the first verse of a childhood song about a young girl with a rather strange nickname, *Fleur d'épine* (flower of thorn).

***Fleur d'épine***

La mère qui m'a nourrie n'a jamais connu mon nom, ohé (bis)
On m'appelle, on m'appelle, on m'appelle Fleur d'épine Fleur
de rose c'est mon nom, tra la la la...

# Section 2

In this section you will be listening to another two chapters of the story. Someone has unexpectedly arrived to visit Geneviève's family. We find out who it is and hear the family discussing where the visitor can stay. In the interview, we hear Nadine talking to a hotel manager about the quality of hotels in the region. By working on these audio extracts you'll practise making adjectives agree with their nouns, you'll learn how to make comparisons and how to book a hotel room.

## Troisième chapitre: Une visite inattendue

Geneviève and her family get a big surprise as a figure from the past interrupts their celebrations. In the next *activité* find out what their reactions are.

**Activité 10**

**AUDIO 7**

Listen to Chapter 3 of the story then answer the following questions in English.

*Écoutez le chapitre 3 de l'histoire puis répondez aux questions suivantes en anglais.*

1 What is strange about the unexpected guest's appearance?

2 What has she brought with her?

3 Where do the old lady and the grandparents know each other from?

4 Mathilde lists a number of names. What does that list imply about her past?

5 How does the grandmother react to Mathilde? What does it seem to show?

### Making adjectives agree with nouns

As you saw in Section 1 under 'Introducing yourself', French adjectives have different forms depending on the noun they refer to. The table below shows you how an adjective can change.

| *Masculine singular* | *Feminine singular* | *Masculine plural* | *Feminine plural* |
|---|---|---|---|
| un chapeau **noir** | une cape **noire** | des chapeaux **noirs** | des capes **noires** |
| Bob est **américain** | Jenny est **américaine** | Bob et Kevin sont **américains** | Jenny et Laura sont **américaines** |

The feminine of most adjectives is formed by adding an *-e* to the masculine, but note the following.

1 Adjectives already ending in *-e* in the masculine do not change in the feminine:

   une boîte de chocolats **énorme**/un gâteau **énorme**

   un **jeune** homme/une **jeune** femme

2 Some adjectives have a very different feminine form. For example:

   un chat **blanc**/une souris **blanche**

   un **vieux** monsieur/une **vieille** dame

   un **beau** cadeau/une **belle** surprise

When an adjective applies to (or is associated with) a feminine and a masculine noun, the adjective will be in the masculine plural. For example:

   une cape et un chapeau **noirs**

The next two *activités* will give you some practice in using adjectives.

## Activité 11

Complete the sentences using the words in the box below. Use the illustration opposite as a guide.

*Complétez les phrases avec les mots de l'encadré ci-dessous. Prenez votre inspiration dans l'illustration ci-contre.*

Colette revient avec une ____________ dame, bizarrement ____________ pour la saison: elle porte une ____________cape de laine ____________ et un bonnet ____________________ , de ____________ bottes de cuir ____________ , une écharpe et des gants, ____________ aussi. Elle a également des lunettes de soleil qui cachent une ____________ partie de son visage. Elle tient dans les bras une bouteille de champagne et une ____________ boîte de chocolats. Tout le monde la regarde dans le silence le plus ____________ . Elle enlève ses lunettes.

'Allons, vous ne me reconnaissez pas?'

Mon grand-père est un peu ____________ , mais il a encore très ____________ vue.

| assorti, noirs, bonne, écarlate, hautes, habillée, total, grande, énorme, grande, sourd, vieille, noir |
|---|

**Mathilde**

**Pour le plaisir**

**AUDIO 8**

Here is a poem. Listen out for the adjectives and the words they rhyme with.

***Une souris verte***

Une souris verte
a donné l'alerte.
Un papillon vert
fuit vers l'Angleterre.
Une souris grise
reste bien indécise.
Trois éléphants gris,
qui n'ont rien compris,
mangent bêtement des glaces
sur une table basse.
Et voilà,
l'énigme est complète,
de la souris trop inquiète.
L'mystère est complet:
on n'sait pas ce qui s'est passé!

Do you remember the expression *avoir l'air* + adjective (see page 9)? In the next *activité* you will find three further examples of the use of this expression. The exercise will also make you use adjectives that have appeared in the story. Note: in order to complete the crossword, use capitals and no accents.

## Activité 12

Find the correct adjective to complete each sentence. Then write it on the corresponding line in the crossword puzzle. To help you we have given you the first word (in this instance the word in the story was the adverb *bizarrement*). When you have filled in all of the squares you should be able to read vertically a synonym of *inattendue* taken from the title of Chapter 3 of the story.

*Complétez chaque phrase avec l'adjectif qui convient. Puis écrivez-le dans la grille de mots croisés. Vous trouverez dans la ligne verticale un synonyme du mot 'inattendue'.*

1 Les vêtements de Mathilde ont l'air **bizarres** pour la saison.

2 Les gants de Mathilde sont de la ___________ couleur que ses bottes.

3 Mes neveux sont de vrais ___________ diables.

4 Nous sommes tous très ___________ par ce coup de sonnette.

5 Mon beau-frère travaille trop, il a l'air ___________ .

6 La ___________ dame a apporté du champagne et des chocolats.

7 Mon oncle et ses fils sont venus ___________ les trois de Paris.

8 Ma mère trouve que ma sœur a l'air ___________ .

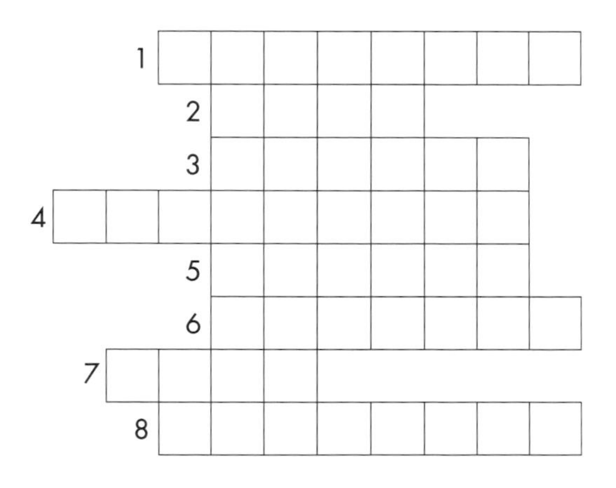


## Interview: Un hôtel deux étoiles

In Nadine's second interview we hear from M. Chardonnet who talks about his hotel and the standard of other accommodation in the area. In the next *activité* you'll find out how grades of hotel differ from each other.

## Activité 13

AUDIO 9

Listen to the interview and then tick the correct answer for each question.

*Écoutez l'interview puis cochez la bonne réponse à chaque question.*

1 Pour M. Chardonnet, quelle est la définition d'un hôtel deux étoiles?

(a) C'est un hôtel de bon standing. ❑

(b) C'est un hôtel beaucoup plus simple qu'un trois étoiles. ❑

(c) C'est un hôtel beaucoup plus sûr qu'un hôtel une étoile. ❑

2 Il donne ensuite un détail précis qui montre la différence entre un hôtel une étoile et un hôtel deux étoiles. Quel est ce détail?

(a) Dans un hôtel une étoile il n'y a jamais de lavabo dans la chambre. ❑

(b) Dans un hôtel deux étoiles il y a toujours un lavabo et un bidet dans la chambre. ❑

(c) Dans un hôtel deux étoiles chaque chambre a un cabinet de toilette séparé. ❑

3 Combien d'hôtels trois étoiles y a-t-il dans le département?

(a) Une vingtaine. ❑

(b) Une douzaine. ❑

(c) Deux. ❑

4 Quelle raison justifie ce chiffre?

(a) Il y a une grosse demande. ❑

(b) Il n'y a pas la demande. ❑

(c) Il faut faire beaucoup de demandes. ❑

5 Combien d'hôtels de la même catégorie que l'établissement de M. Chardonnet y a-t-il dans le département?

(a) On ne sait pas, les classements ne sont pas finis. ❑

(b) Il y a environ vingt hôtels deux étoiles. ❑

(c) Il y a une trentaine d'établissements d'une étoile. ❑

## Expressing comparisons

You may have noticed how M. Chardonnet uses *plus* to compare one-star and two-star hotels:

> *Un hôtel une étoile c'est un hôtel beaucoup* ***plus simple***.
> A one-star hotel is a much more basic hotel.

*Un hôtel deux étoiles c'est un hôtel beaucoup* ***plus complet***.
Literally, a two-star hotel is a much more complete hotel, meaning that it will offer more amenities than a one-star hotel does.

'Less' translates to *moins* in French:

*La chambre des enfants est* ***moins grande*** *que la nôtre, mais elle est* ***moins bruyante***.
The children's room is less big than ours but it's less noisy.

Note that 'cheaper' is often translated as *moins cher* (less expensive) in French:

*Le Verdun est* ***moins cher****, mais il est complet aujourd'hui.*
The Verdun hotel is cheaper, but it's full today.

*Plus* and *moins* can also be used with adverbs such as *près, loin, vite, lentement*, etc.

*Y a-t-il une chambre* ***plus près*** *de l'ascenseur? Parce que j'ai beaucoup de bagages.*
Is there a room closer to the lift? Because I have a lot of luggage.

*Vous pouvez parler* ***moins vite*** *s'il vous plaît?*
Could you speak less quickly please?

One last point to consider is, when you need to say that something is better than something else, use *meilleur:*

*Le Récamier est un* ***meilleur*** *hôtel que le Verdun.*
The Récamier is a better hotel than the Verdun.

Here is a short translation to help you practise comparisons.

## Activité 14

Translate the sentences in brackets into French.

*Traduisez en français les phrases entre parenthèses.*

**1 *À l'Office du Tourisme***

| | |
|---|---|
| Employée | Ils ont des chambres libres au Miramar, mais c'est assez loin, il faut prendre un bus. |
| Touriste | (Isn't there a hotel closer to the centre?) |
| Employée | Si, mais tout est complet. |

**2 *À la réception de l'hôtel***

| | |
|---|---|
| Touriste | Vous avez seulement cette chambre à 400 francs? C'est vraiment cher pour moi. |
| Réceptionniste | (No, I have another room. It's less expensive, but it's smaller.) |
| Touriste | Est-ce qu'on voit la rivière de la fenêtre? |
| Réceptionniste | (Yes, but the 400 francs room has a better view...) |

## *Quatrième chapitre: Vue et confort*

We continue with Chapter 4 of the story, where Sunday lunch is over and Mathilde knows all about Geneviève's family. But what do we find out about Mathilde? What sort of tastes does she have? And where is she going to stay? The next *activité* will provide you with answers to these questions.

### Activité 15

**AUDIO 10**

Listen to Chapter 4 then answer the following questions in English.

*Écoutez le chapitre 4 puis répondez en anglais aux questions.*

1 What convinces us further that grandmother doesn't like Mathilde very much?

2 What polite excuse does Mathilde give when she refuses Colette's hospitality?

3 Why does Colette suggest the Régence?

4 Why are Pierrot and Jean-Luc so surprised?

The last *activité* in this section will help you practise booking a room in a hotel.

### Activité 16

**AUDIO 11**

1 Pascal calls the hotel Régence to book a room for Mathilde. Fill in the blanks in the conversation below. If you need a reminder of what she wants, you can of course listen again to the end of Chapter 4 (Extract 10).

*Pascal appelle l'hôtel. Mettez les mots qui manquent dans la conversation.*

| | |
|---|---|
| Réceptionniste | Hôtel Régence, bonjour. |
| Pascal | Oui, bonjour mademoiselle. Est-ce que vous ___________ une chambre ___________ pour cette nuit? |
| Réceptionniste | Pour ___________ de personnes? |
| Pascal | Pour ___________ seule personne.. |
| Réceptionniste | Un instant, s'il vous plaît. |
| Pascal | Oh, et si possible, avec ___________ sur la rivière. |

| | |
|---|---|
| Réceptionniste | Alors nous avons la 8, avec balcon, ou bien la 16, qui est ____________ grande, mais qui est ____________ calme, parce qu'elle donne sur la rue. Les deux ont une très ____________ vue. |
| Pascal | Il y a le ____________ central à l'hôtel, n'est-ce pas? |
| Réceptionniste | Oui monsieur, mais il ne marche pas en ce moment... Pas en été! |
| Pascal | C'est pour une dame très ____________ ... |
| Réceptionniste | Si vous voulez, nous pouvons mettre un ____________ électrique dans la chambre. |
| Pascal | Très bien, et peut-être aussi deux ou trois ____________ sur le lit? |
| Réceptionniste | Certainement. Vous prenez ____________ 8 ou ____________ 16, donc? |

2 In English, say which room you think Pascal should book, and why?

*Quelle chambre est-ce que Pascal devrait réserver? Pour quelles raisons? Répondez en anglais.*

3 Now assume Pascal's role and take part in the conversation on your cassette. Follow the prompts given in English in Extract 11.

*Maintenant prenez le rôle de Pascal et participez à la conversation sur votre cassette en suivant les suggestions données en anglais.*

# Section 3

In the next two chapters of the story in this section, the mystery surrounding Mathilde and Geneviève's grandfather deepens as Lucienne falls victim to a strange illness, and the narrator learns about Mathilde's future plans.

In her next interview, Nadine is off the beaten track looking for accommodation. While studying these audio extracts, you'll learn how to understand people giving directions and you will also have an opportunity to develop your reading skills.

## Cinquième chapitre: Un mot illisible

In this chapter the story begins to gather pace as Geneviève struggles to read an illegible message left by Mathilde, before setting off to look for her.

### Activité 17

**AUDIO 12**

After listening to Chapter 5 on the cassette, complete each of the following sentences with one of the phrases in the box below. Once completed, the sentences will summarize the events in the chapter.

*Écoutez le chapitre 5 puis complétez chacune des phrases suivantes avec une des expressions de l'encadré ci-dessous.*

1 Le grand-père téléphone à Geneviève

2 Il raconte que Mathilde lui a parlé

3 Il explique que sa femme ne va pas bien

4 Geneviève apprend que Mathilde est partie

5 Mathilde a attendu

6 Elle a écrit un mot pour Édouard

(a) quand elle arrive à l'hôtel.
(b) la veille avant de partir.
(c) le lendemain matin.
(d) une demi-heure.
(e) ce matin-là.
(f) avant de quitter l'hôtel.

## Activité 18

This is the note that Mathilde left for Édouard. The gaps show where Geneviève was unable to read the handwriting. Fill them in by choosing (a), (b), or (c) from each line in the box below.

*Choisissez parmi les mots de l'encadré ci-dessous et complétez la note laissée par Mathilde.*

Édouard, tu n'as pas changé. Tu es toujours (1) ___________ ! Je vais au (2) ___________ pour demander des (3) ___________ sur la ville. Viens me rejoindre le plus (4) ___________ possible. J'ai quelque chose d'important à te (5) ___________ .

Je t'embrasse

Mathilde

| | |
|---|---|
| 1 | (a) en avance b) le premier (c) en retard |
| 2 | (a) commissariat de police (b) syndicat d'initiative (c) gare routière |
| 3 | (a) renseignements (b) information (c) démonstrations |
| 4 | (a) lentement (b) vite (c) rapide |
| 5 | (a) offrir (b) apprendre (c) dire |

# Interview: La bonne route

We now rejoin Nadine who has found her way to Mme Dumontant's place. Here are a few explanations that will help you to understand directions and to tackle *Activité 19*.

## Getting around

You will need to know a few words and phrases in order to ask your way and understand the explanations you are given. Here are a few:

*à droite* on the right/to the right
*à gauche* on the left/to the left
*tout droit* straight on (remember not to pronounce the final *-t* in *tout* or in *droit*)
*en direction de/vers* towards (remember not to pronounce the final *-s* in *vers*)
*à 100 mètres/à 35 kilomètres* 100 metres away/35 kilometres away

In the next *activité* you will recognize some of these expressions, and learn a few more.

## Activité 19

AUDIO 13

Listen to Mme Dumontant's explanations at the beginning of the conversation with Nadine, and decide which of these route maps you would follow to get to her place.

*Écoutez le début de la conversation puis choisissez la carte qui indique le chemin à suivre pour arriver chez Mme Dumontant.*

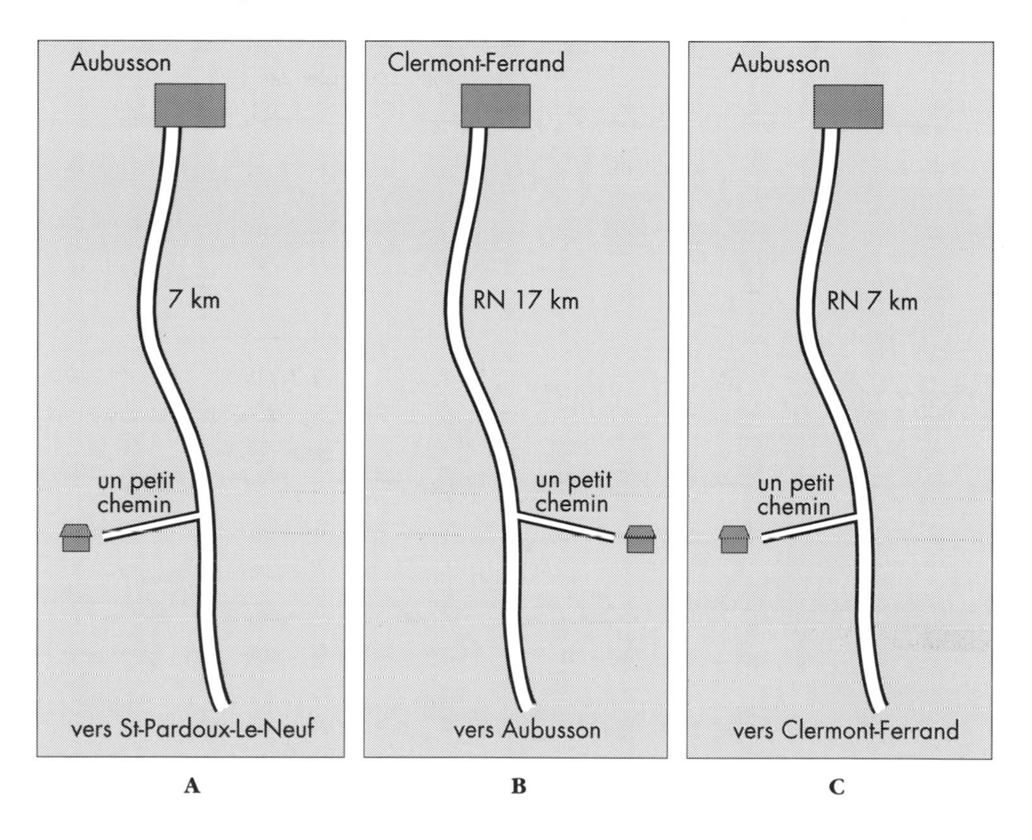


## Activité 20

AUDIO 13

Listen to the rest of the conversation and answer the following questions.

*Écoutez le reste de la conversation et répondez en anglais aux questions suivantes.*

1 What is there by the side of the road to help travellers find Madame Dumontant's place?

2 Do people find it easily?

Mme Dumontant quotes what visitors say when they tell her they have lost their way. In the next *activité,* you share their plight. You get lost on the way to a *gîte* and ring up the owner. The *activité* will help you practise pronouncing the sound of the French 'r'.

Activité 21

AUDIO 14

Mme Dumontant's visitors often say: *Je suis perdu, je suis à Saint-Pardoux, mais je ne vois plus la route pour vous rejoindre.* Take part in the conversation in Extract 14, reusing these words, and following the English prompts.

*Ré-utilisez les mots des visiteurs de Mme Dumontant pour participer à la conversation de l'Extrait 14. Suivez les suggestions données en anglais.*

## Sixième chapitre: Mathilde se renseigne

In this instalment of *Nicotine et vieilles amours,* Geneviève finds Mathilde making interested enquiries at the Tourist Office. The next *activité* will help you find out more about what happens there.

Activité 22

AUDIO 15

Listen to Chapter 6 and answer the following questions in English.

*Écoutez le chapitre 6 puis répondez en anglais aux questions suivantes.*

1 What does Mathilde say may be an explanation for Lucienne's illness?

2 What is Mathilde's reason for asking lots of questions at the Tourist Office?

3 What does she suggest to Geneviève?

In order to describe where places or people are, you need to know words like *à, dans, sur, devant.* These are known as prepositions (see *Les mots de la grammaire* for a definition) and the next *activité* helps you check your knowledge of these.

Activité 23

AUDIO 15

The box opposite contains eight prepositions. Choose the correct one for each of the following sentences. If you need a reminder, listen again to Extract 15 on your cassette.

*Mettez la préposition correcte dans chacune des phrases suivantes.*

1 Mathilde se trouve ____________ l'Office du Tourisme.

2 Elle n'est pas allée ____________ musée.

3 Il y a une pile de brochures ____________ elle.

4 ____________ le château il y a le parc.

5 Mathilde aime bien les concerts ___________ plein air.

6 Elle cherche une propriété ___________ le coin.

7 Il faut traverser la rivière ___________ la sortie sud de la ville.

8 La propriété se trouve tout de suite ___________ gauche.

| après, dans, au, devant, à, derrière, en, à |
|---|

ur le plaisir

AUDIO 16

Here's a poem about the view from the Eiffel tower, to give you some of the phrases you will need to talk about direction.

***Du haut de la tour Eiffel, qu'est-ce qu'on voit?***

Du haut de la tour Eiffel, qu'est-ce qu'on voit?
En bas? Un café-tabac.
En haut? Une antenne radio.
Devant? La porte d'Orléans.
Derrière? Au delà du quai Voltaire, la place du Caire.
À droite? L'Île de la Grande Jatte.
Et là-bas, tout droit? C'est Sainte-Geneviève-des-Bois.

## *Scanning a text for information*

When reading French, one of the first things you can do is to think about what kind of text you are dealing with, in order to prepare for the language you will meet in it. In the tourist brochure overleaf, for example, you can expect a fairly limited set of words and phrases relating to leisure pursuits, place names, opening and closing hours, details about tickets and tariffs etc. By looking up just one or two of the words which recur you can go a long way towards clarifying the meaning of the whole document.

Scanning is a reading skill which helps you look for certain types of information in a text, rather than painstakingly work your way through word by word, line after line. It relies on you using the clues provided by the layout. Information in, for example, a leaflet, brochure, timetable or listing, is often presented by use of a regular pattern throughout the document. So work out what the designer of the brochure has tried to communicate through the use of titles, columns, pictures and other inserts. If you're reading a weather report, see how the information is organized, according to the time of the report (*hier, aujourd'hui, demain*), or the location (*national, régional, local*). If you're looking at a newspaper, think about the size and position of the headlines, letting your eyes 'sweep' across the whole page to gain an idea of the relative importance of each point of information.

## LA VILLE ET LA RÉGION

**Pour les gourmets**

*Aux trois petits cochons*

54 rue des Bons Pères, spécialités jambons et saucisses; ouvert tous les jours sauf le lundi

*Le Canard Joyeux*

26 avenue Lemarchand, spécialités de volailles

*Chez Joseph*

12 boulevard Eugène Pierre, grande variété de plats régionaux, dîners uniquement, réservation obligatoire

**Théâtre, musique et danse**

*Concerts en plein air*

Parc des Biches, chaque vendredi à 20h30, programme affiché chaque semaine aux grilles du parc

*Festival de théâtre contemporain*

(1.8–3.9) programme et réservations de billets au Syndicat d'Initiative

*Ballets du Chat Botté*

en tournée dans toute la région du 15.7 au 31.7, trois spectacles par semaine, renseignements au S.I.

## LA VILLE ET LA RÉGION

**Hôtels et pensions**

*Pension Annette*

56 rue de la Gare, ambiance familiale, prix modérés

*Hôtel Verdun***

39 boulevard des Templiers, 24 chambres (cabinet de toilette ou salle de bains)

*Hôtel Le Récamier****

Place Récamier (prix spéciaux pour groupes)

*Hôtel Régence****

98 rue des Tonneliers (TV-câble dans toutes les chambres)

**Musées et Expositions**

*Musée de la Ville Ancienne*

Place Jean Jaurès (10h–12h et 14h–19h, tous les jours sauf le mardi, entrée 25F, dimanche gratuit)

*Musée des Arts Déco*

15 rue des Papes (merc., vend. et samedi 10h–13h); gratuit étudiants et carte vermeil*

*Château*

Place des Vainqueurs (9h–12h30 et 14h–18h), visites guidées et expositions temporaires

***carte vermeil* is a card allowing French people over the age of 60 to travel by train at reduced rates.

Practise first on tickets, leaflets, adverts, anything you can lay your hands on, moving on to more complex texts like newspaper pages. You should find that you can scan French texts more and more effectively. In the same way as you were encouraged to listen for repetitions in conversations, you could start scanning material in English, then move on to French.

### Activité 24

Use the brochure opposite to help you fill in the gaps, in this dialogue between Mathilde and the employee at the Tourist Office.

*Utilisez les informations contenues dans la brochure ci-contre pour compléter le dialogue suivant.*

| | |
|---|---|
| Mathilde | Quand a lieu le festival de théâtre? |
| Employée | Du 1^er^ ___________ au 3 ___________ . |
| Mathilde | Où est-ce que je peux réserver les billets? |
| Employée | ___________ , madame. |
| Mathilde | Et vous avez aussi le ___________ ? |
| Employée | Bien sûr. Le voici. |
| Mathilde | Vous pouvez recommander un ___________ restaurant? |
| Employée | Pour les plats ___________ , le meilleur c'est *Chez Joseph*, mais il faut ___________ à l'avance. Et ils ne sont pas ouverts pour le ___________ , seulement pour le dîner. |
| Mathilde | Est-ce qu'on peut visiter le château? |
| Employée | Tout à fait. Il y a des visites ___________ tous les jours. Mais attention, il est ___________ entre douze heures trente et quatorze heures. |
| Mathilde | Très bien, je vous remercie. |

## Activité 25

1 Read the first three chapters of the story again (pages 95 to 96). Whenever you find an expression of time, jot down the French (the English equivalents are listed below). Then do the same with Chapters 4–6 (pages 96 to 98).

*Relisez les trois premiers chapitres de l'histoire et notez la traduction française de chacune de ces expressions de temps. Puis faites la même chose pour les chapitres 4 à 6.*

| *Chapitres 1 à 3* | *Chapitres 4 à 6* |
|---|---|
| it's 1 pm | half an hour |
| on the same day | two hours later |
| on your birthday | from 9.00 to 12.30 pm |
| it's Sunday | in the morning |
| the 21st of July | the next morning |
| every year/a year | this afternoon |
| a year later | this evening |
| the same year | all day |
| all these years | in July |
| the thirties | in the summer |

2 Now translate sentences (a) to (d) using some of the expressions above.

*Traduisez maintenant les phrases (a) à (d) en utilisant quelques-unes des expressions ci-dessus.*

(a) The museum is open from 10 am to 12.30 pm but it is closed this afternoon because it's Sunday (write the hours in full).

(b) There are three exhibitions a year in the castle.

(c) In the morning when I get up I have a cup of coffee and then, an hour later, I eat two or three croissants.

(d) It's always hot on my birthday because it's the twenty-first of August.

# Section 4

In this section the story describes how Geneviève and Mathilde go house-hunting before heading off to a restaurant where the narrator finds out more about Mathilde's mysterious past. But do her revelations raise more questions than they answer?

Nadine continues her investigation into the people of the Creuse by interviewing an estate agent. In this section you will learn how to spell out your name, how to express opinions, and you will practise your pronunciation. You're also given further advice on how to read efficiently.

## Septième chapitre: Une belle maison

Geneviève gets yet another surprise when she sees the house Mathilde has chosen. Find out why by doing the next *activité*.

The first *activité* will test your comprehension of this chapter.

### Activité 26

**AUDIO 17**

Listen to Chapter 7 then answer the following questions in English.

*Écoutez le chapitre 7 puis répondez en anglais aux questions suivantes.*

1 Why does Geneviève say *Faites attention!* to Mathilde?

2 Why is Geneviève surprised by Mathilde's choice of house?

3 Which of the two houses shown overleaf is the one they visit?

### Activité 27

Write down five sentences comparing Villa Les Marmottes and Villa Les Marronniers, shown overleaf. You can use any of the expressions given in the box below.

*Écrivez cinq phrases pour comparer la Villa Les Marmottes à la Villa Les Marronniers. Utilisez certaines des expressions ci-dessous.*

| il y a, il n'y a pas de, il y a seulement |
|---|
| moins grand(e) (que), plus petit(e) (que), pas aussi joli(e) (que) |
| derrière, devant, en haut, en bas, au rez-de-chaussée, au 1$^{er}$ étage |

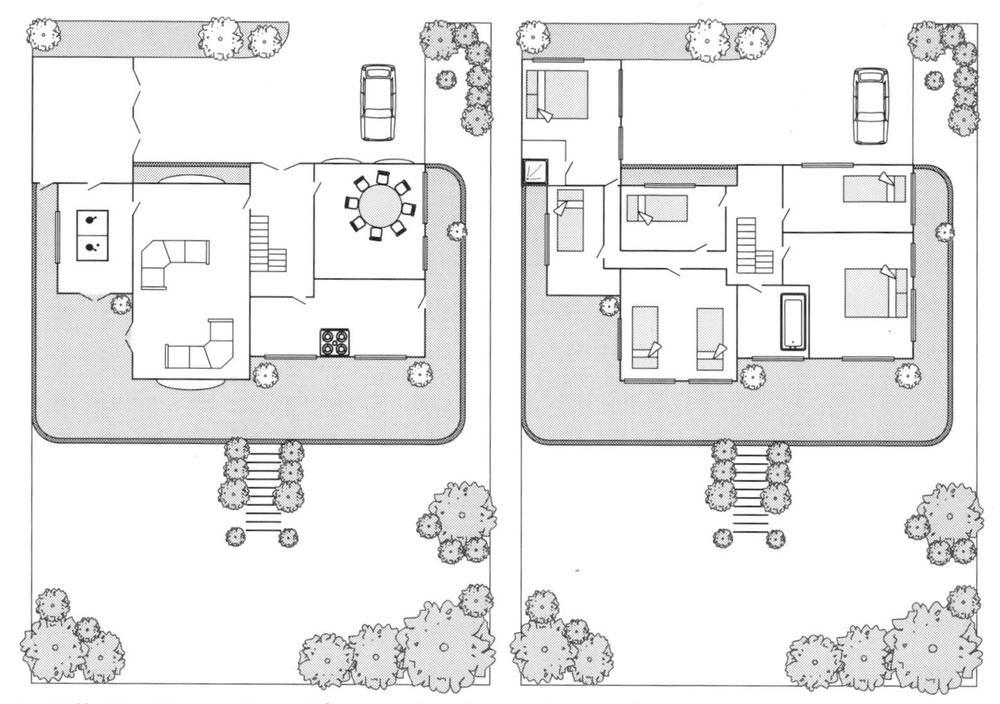

**A Villa Les Marroniers, 76 route du Plateau de Gentioux**

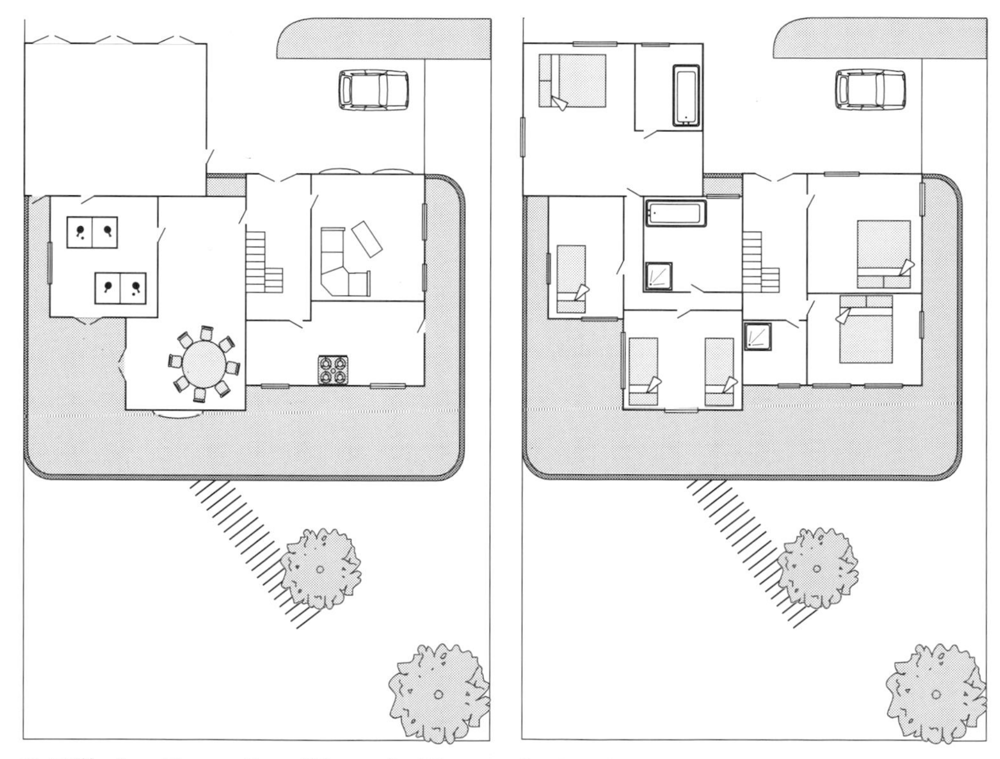

**B Villa Les Marmottes, 66 rue du Plateau de Gentioux**

## Spelling in French

At some time or other in France you will be asked (or you will need to ask) how something is spelled:

> *Comment ça s'écrit?*
> How do you write it?
>
> *Vous pouvez épeler?*
> Can you spell it?

The first thing to do when trying to spell in French is to make sure you know how to pronounce the letters for any word that you may need to spell out frequently. Your name or surname, or that of a loved one, would be a good start. To help you do this, listen to Extract 17, where you will hear the alphabet read out in French. The 26 letters of the alphabet, with their pronunciation, are also listed below. Wherever you see 'é' in the pronunciation, say it with a sharp sound, as Mme Rance does in the first interview, when she talks about *mon aî**né***, or about *Fr**é**d**é**rique.*

| | | | |
|---|---|---|---|
| A | *a*, as in *Ah!* | N | *enn*, as in *Seine* |
| B | *bé*, as in *béret* | O | *o*, as in *tôt* |
| C | *cé*, as in *c'est* | P | *pé*, as in *répéter* |
| D | *dé*, as in *délicat* | Q | *ku*, as in *reculer* |
| E | *eu*, as in *je* | R | *err*, as in *mère* |
| F | *eff, as in trèfle* | S | *ess*, as in *caisse* |
| G | *gé*, as in *j'ai* | T | *té*, as in *thé* |
| H | *ache*, as in *acheter* | U | *u*, as in *une* |
| I | *i*, as in *île* | V | *vé*, as in *vélo* |
| J | *ji*, as in *gîte* | W | *double vé* |
| K | *ka*, as in *calme* | X | *iks*, as in *mixte* |
| L | *el*, as in *j'appelle* | Y | *i grec*, as in *île grecque* |
| M | *emm*, as in *même* | Z | *zed* |

### Double letters

Finally, remember that to spell a double letter, the French say *deux 'm'* for 'mm', *deux 'l'* for 'll'. The exception is *double vé* for 'w', but of course this isn't a double letter!

## Pour le plaisir

AUDIO 18

Now listen to the alphabet in French on the cassette. First you'll hear it spoken, then sung.

A B C D E F G H I J K L M N O P Q R S T U V W X Y Z
Maintenant qu'on l'a chanté,
Je connais mon alphabet.

The next two *activités* will help you practise spelling in French.

### Activité 28

AUDIO 19

First, listen to the dialogue in Extract 19 on your cassette. Mme Joubert, the present owner of the villa is giving her address over the phone to an employee of the town hall. Listen to the way she spells out the different words.

*Écoutez Mme Joubert, la propriétaire de la villa Les Marronniers, qui donne son adresse à un employé de la mairie.*

### Activité 29

AUDIO 20

Now listen to Extract 20 and assume Mme Joubert's role. Spell the words out as she did.

*Maintenant écoutez l'Extrait 20 et prenez le rôle de Mme Joubert. Épelez bien les mots comme elle l'a fait.*

## Interview: Les Creusois, les Parisiens et les Anglais

In this interview, M. Petit, an estate agent, tells Nadine about the various groups of customers he deals with, explaining how local people, Parisians and British visitors all want different things from a property. Find out more by doing the next two *activités.*

### Activité 30

AUDIO 21

Listen to the interview, then answer the following questions in English (note that, for most French people, *les Anglais* means anybody living north of the Channel!).

*Écoutez l'interview puis répondez aux questions suivantes en anglais.*

1 What does M. Petit think about his Parisian customers?

2 Why are *les Anglais* easier to deal with?

## Activité 31

**AUDIO 21**

For each statement below tick a column in the table to indicate whether M. Petit is talking about *les Creusois*, *les Parisiens* or *les Anglais*.

*Cochez dans le tableau ci-dessous une des trois cases pour indiquer si M. Petit parle des Creusois, des Parisiens, ou des Anglais.*

| | **les Creusois** | **les Parisiens** | **les Anglais** |
|---|---|---|---|
| Ils cherchent le confort avant tout | | | |
| Ils veulent des maisons anciennes | | | |
| Ils veulent le confort et en même temps un prix peu élevé | | | |
| Ils connaissent bien le paysage | | | |
| Ils trouvent le paysage merveilleux | | | |
| Ils ne veulent pas de maisons isolées | | | |
| Ils aiment beaucoup la région | | | |

## Pronouncing words that end in '-tion'

Words which end in *-tion* (such as *réception*) usually mean the same in French and in English. This is also true of their derivatives, for instance *réceptionniste*. Their pronunciation, however, is different. The next *activité* will help you practise pronouncing these words in French.

## Activité 32

**AUDIO 22**

Listen to the following sentences on your cassette and repeat them in the pauses. Pay particular attention to the words in bold which all contain *-tion*.

*Écoutez les phrases de l'Extrait 22 et répétez-les. Faites attention aux mots en '-tion'!*

1 Il y a quatre **générations** autour de la table.

2 'Mme Leroi-Darcy est partie' dit la **réceptionniste**.

3 Mathilde continue sa **conversation** avec l'employée.

4 *Chez Joseph* la **réservation** est obligatoire.

5 Au château il y a des **expositions** temporaires.

6 Faites **attention**!

7 Les Anglais aiment faire des **rénovations**.

## *Huitième chapitre: Des projets surprenants*

In this chapter Geneviève finds out why Mathilde wants to buy a house in the area; our narrator is shocked, as the implications seem rather disturbing.

The first *activité*, while testing your comprehension of the chapter, also offers the new challenge of answering the questions in French.

**Activité 33**

**AUDIO 23**

Listen to Chapter 8 of the story and answer the following questions in French.

*Écoutez le chapitre 8 puis répondez en français aux questions suivantes.*

1 Quel est le nom du restaurant que Mathilde veut essayer?

2 Qui va payer l'addition?

3 Quelle est la raison de la visite de Mathilde?

4 Combien de fois est-ce que Mathilde s'est mariée?

5 Pourquoi peut-elle maintenant acheter une grande maison?

6 Pourquoi peut-elle maintenant venir vivre près de chez Édouard?

7 Qui viendra habiter dans cette grande maison?

### *Asking for and expressing opinions*

At this stage, you probably won't be able to or you may not remember how to say in great detail what you think about complicated issues. But a few phrases can go a long way towards enabling you to state quite clearly what you like or dislike, and whether in your opinion x, y or z is a good or a bad thing. You have already come across most of these phrases in Chapter 8 of *Nicotine et vieilles amours*.

**Asking someone's opinion**

The most common way is to ask *Qu'est-ce que vous pensez de...* or, *Comment trouvez-vous...* If you're on *tu* terms with the person, use *Qu'est-ce que tu penses de...*, or *Comment trouves-tu...* For example:

> *Qu'est-ce que vous pensez de la maison?* or *Comment trouvez-vous la maison?*
> What do you think about the house?
>
> *Qu'est-ce que tu penses de ce vin/de l'hôtel/de la chambre? or Comment trouves-tu ce vin/l'hôtel/la chambre?*
> What do you think about this wine/about the hotel/about the room?

When asking these sorts of questions, expect simple opinions as answers, for example:

> très bien, très belle, délicieux, magnifique, horrible

The style is the same as in English where you are more likely to say 'I'll have the duck' than 'I'll have some duck' when ordering in a restaurant.

## *Talking about food: 'du', 'de la', 'des'*

When talking about food use *du, de la* and *des* before the names of the foodstuffs you want. These words mean 'some' in a statement and 'any' in a question but are not always translated by a word in English at all. In the story you have just heard, the chef says that he uses (some) cream ***(de la** crème fraîche)*, (some) pink peppercorns ***(du** poivre rose)*, and (some) thyme ***(du** thym)*. The table below should help you understand the pattern.

| **Type of food** | **Is it a masculine or feminine word?** | **How does 'le', 'la' or 'les' combine with 'de'?** | **What you should say** |
|---|---|---|---|
| *le thon* | masculine | *de + le = du* | *pour faire une bonne salade composée il faut du thon...*<br>to make a good mixed salad, you need tuna... |
| *la laitue* | feminine | *de + la = de la* | *de la laitue...*<br>some lettuce... |
| *les tomates et les œufs durs* | plural (*tomates* is feminine and *oeufs* masculine) | *de + les = des* | *des tomates et des œufs durs...*<br>tomatoes and hard-boiled eggs... |

Finally, remember that if a word begins with a vowel, *du* and *de la* lose their final vowel and become *de l'*:

> ... *et bien sûr de l'huile d'olive.*
> ... and of course olive oil.

The next *activité* will provide some practice in listening for individual words and discriminating between *du, de la, des* and *les.*

### Activité 37

**AUDIO 24**

Listen to Chapter 9 again and tick the eleven items you hear among those listed overleaf. When you have finished, check your answers by reading Chapter 9.

*Écoutez le chapitre 9 une nouvelle fois et cochez dans la liste qui suit les onze expressions que vous entendez. Puis vérifiez vos réponses en lisant le chapitre 9.*

| | | | |
|---|---|---|---|
| un apéritif | ❑ | la saucisse | ❑ |
| les apéritifs | ❑ | le saucisson | ❑ |
| des apéritifs | ❑ | à la sauce | ❑ |
| digestif | ❑ | un légume | ❑ |
| deux digestifs | ❑ | légumes | ❑ |
| une entrée | ❑ | pâtes fraîches | ❑ |
| entrée | ❑ | pommes frites | ❑ |
| le pâté | ❑ | poissons | ❑ |
| la pâté | ❑ | poisons | ❑ |
| des pâtes | ❑ | boissons | ❑ |
| les crudités | ❑ | une bonne bière blonde | ❑ |
| des crudités | ❑ | un bon vin blanc | ❑ |
| une volaille | ❑ | de la crème | ❑ |
| la poitrine de volaille | ❑ | un petit crème | ❑ |
| de la sauce | ❑ | un peu de crème | ❑ |

## Pour le plaisir

AUDIO 25

Now listen to the audio extract where two children, Étienne and Émilie, are playing a memory game. They will remind you how to use *du*, *de la* and *des*.

| | |
|---|---|
| Émilie | Dans mon panier j'ai du fromage. |
| Étienne | Dans mon panier j'ai du fromage et des poires. |
| Émilie | Dans mon panier j'ai du fromage et des poires et de la vanille. |
| Étienne | Dans mon panier j'ai du fromage, des poires, de la vanille, et du chocolat... |

## Activité 38

AUDIO 26

1 You are at the restaurant with a friend. Take a few minutes to read the menu shown opposite.

*Vous êtes au Canard Joyeux avec un ami ou une amie. Lisez le menu ci-contre.*

2 Now listen to Extract 26. The waiter comes to take your order; when he asks a question, answer in French following the English prompts.

*Écoutez maintenant l'Extrait 26. Le garçon vient prendre la commande; répondez à ses questions en suivant les suggestions en anglais.*

# Au Canard Joyeux

Carte du Déjeuner
(servi entre 12h et 13h30)

*L'entrée*

Melon au porto 25F
Soupe du jour 20F
Pâté de canard 45F
Crudités 35F

*Le plat du jour*

Poitrine de volaille à la sauce Canard Joyeux 98F
(servie avec pommes frites, légumes frais ou salade, au choix)

*Le plat principal*

Filets de sole 90F
Bœuf en daube 85F
Omelettes variées 60F

*Les fromages et les desserts*

Plateau de fromage 57F
Fromage frais au miel 36F
Coulis de framboises 23F
Gâteau aux amandes 30F
Crêpe Suzette 30F
Profiteroles au chocolat 28F
Sorbet au citron 15F
Crème caramel 20F

*Les boissons*

Eau minérale plate 15F
Eau minérale gazeuse 22F
Bière 35F
Apéritifs, vins et liqueurs
(consulter la carte des vins)

Service non compris
La direction vous souhaite un agréable repas

Activité 39

AUDIO 27

Now decide what *you* would like from the *Carte du Déjeuner* on page 39. Then listen to the questions asked by the waiter and answer with your own choice.

*Consultez de nouveau la Carte du Déjeuner et faites votre choix. Ensuite, répondez aux questions du garçon.*

## Interview: Le pâté de pommes de terre

Nadine now interviews Jean-Jacques, the chef at the Hôtel du Lissier as he prepares a potato pie. You can find out what ingredients he uses, what steps he follows and how he slices potatoes (don't try this at home) by doing the next two *activités.*

Activité 40

AUDIO 28

Listen carefully to the interview and put the following steps in Jean-Jacques' preparation of a potato pie in the correct order.

*Écoutez l'interview et remettez dans l'ordre les étapes de la préparation du plat.*

Jean-Jacques...

1 met la persillade

2 met du sel et du poivre

3 coupe les pommes de terre en rondelles

4 coupe très finement les oignons

5 ajoute l'échalote

6 mélange les oignons et les pommes de terrre

7 met l'ail

### Saying what you are about to do

You have heard Mathilde and Jean-Jacques say:

| | | |
|---|---|---|
| *Je vais*<br>I'm going to | *prendre*<br>have | *le pâté.*<br>the pâté. |
| *Je vais*<br>I'm going to | *mettre*<br>put in | *ma persillade.*<br>my parsley vinaigrette. |
| *On va*<br>We'll | *mélanger*<br>mix [it] up | *après.*<br>afterwards. |

These are examples of the use of the 'near future', where a form of the verb *aller* (to go) combines with another verb in the infinitive to give the impression of something which is going to happen fairly soon. As you saw in the first two examples, the effect is sometimes achieved in English with 'to be going to' followed by a verb.

If you need reminding of the present tense of the verb *aller,* here it is:

je vais
tu vas
il/elle/on va
nous allons
vous allez
ils/elles vont

(Note that when explaining to somebody about what to do in a recipe in English, you're likely to use 'you', as in 'you chop the onions, then you add the meat'. In French, we might use *on,* as does Jean-Jacques in his conversation with Nadine.)

### Activité 41

1 Now turn to the transcript of the interview *Le pâté de pommes de terre* (page 109), and write out in English the main points of the recipe.

*Lisez la transcription de l'interview et notez en anglais les points principaux de la recette.*

2 The interview ended before the recipe was finished. Which one of the following final steps would you have chosen?

*Choisissez parmi ces trois possibilités la façon de terminer la recette.*

(a) Faites frire le mélange dans une grande poêle.

(b) Rajoutez du sucre et faites cuire au four à 180° pendant 35 minutes.

(c) Faites macérer une heure dans de la sauce de soja et servez en salade.

## Saying what you want in a shop or restaurant

When ordering food, you need to know how to make up whole sentences, if you wish to sound polite. Simply to say *Du pain, s'il vous plaît!* may be enough on occasion (eg, in a busy station brasserie where you have to shout to the harassed waiter), but will sound somewhat abrupt in a quiet shop or restaurant dining room.

**In a shop**

Here again in answer to the shop assistant's query, *Je voudrais* is the most useful way to start:

La boulangère Vous désirez?

Le client Je voudrais deux baguettes, s'il vous plaît.

But you could also answer *Je vais prendre deux baguettes* or *Donnez-moi deux baguettes*, always adding *s'il vous plaît* for politeness.

What if you have to initiate the conversation? In this case, try *Vous avez du..., de la..., des...?*

| | |
|---|---|
| Le client | Vous avez du saucisson à l'ail? |
| Le charcutier | Oui, combien vous en voulez? |
| Le client | Deux cents grammes, s'il vous plaît. |

**In a restaurant**

The standard way of beginning an order is to use the phrase *Je voudrais* (I'd like):

| | |
|---|---|
| Le garçon | Et pour vous? |
| Le client | Je voudrais un verre de Beaujolais, s'il vous plaît. |

But there are other ways: in *Au Canard Joyeux*, if Mathilde had been asked the question *Que voulez-vous comme entrée?* (What will you have for a starter?), she would have answered with the verb *prendre* in the near future tense:

Je vais prendre le pâté de canard.

She could also have used the present tense:

Je prends les crudités.

Or she could have been slightly more abrupt (but still polite), and use the command *donnez-moi* followed by *s'il vous plaît*. For example:

| | |
|---|---|
| Le garçon | Vous prenez quoi comme dessert? |
| La cliente | Eh bien, donnez-moi la crème caramel, s'il vous plaît. |

Finally, whether you're in a shop or in a restaurant, the phrase *Qu'est-ce que vous avez comme...?* is the one to use if there is a choice available. For instance, in the two dialogues below, the customer knows there are several types of aperitifs on offer, and several types of olives:

| | |
|---|---|
| La serveuse | Pour madame? |
| La cliente | Euh, oui, qu'est-ce que vous avez comme apéritifs? |
| La serveuse | Alors nous avons du kir, du porto, ou alors des vins, comme vous préférez... |

| | |
|---|---|
| Le client au marché | Qu'est-ce que vous avez comme olives? |
| La marchande | Eh bien j'ai des olives noires, des vertes, des pimentées, et des olives farcies aux anchois. Vous voulez lesquelles? |

The next two *activités* will help you with your pronunciation and intonation. They will also give you some model phrases for shopping or discussing a recipe.

### Activité 42

AUDIO 29

Listen to the conversation at the grocer's on your cassette and repeat what the customer says in the pauses.

*Écoutez sur votre cassette le dialogue à l'épicerie et répétez dans les pauses ce que dit la cliente.*

### Activité 43

AUDIO 30

You are now in Claudie's kitchen. Listen to the conversation between her and Yves. You will then hear their dialogue again, with gaps, so that you can repeat it.

*Vous êtes maintenant dans la cuisine de Claudie. Écoutez la conversation. Le dialogue est enregistré une deuxième fois, avec des pauses. Écoutez-le et répétez chaque phrase.*

## Dixième chapitre: Départ précipité

In this chapter of the story, Geneviève and Mathilde have reached the last course of their meal. Geneviève is just about to choose her dessert when she gets disturbing news and has to rush away.

The next *activité* will test your comprehension of this chapter.

### Activité 44

AUDIO 31

Listen to Chapter 10 and then complete each of the statements below with only one word.

*Écoutez le chapitre 10 puis complétez les phrases ci-dessous avec un seul mot.*

1 Geneviève est obligée de penser à son ___________ .

2 Mathilde demande l'opinion de Geneviève sur le ___________ .

3 Mathilde aime le cadre, mais trouve que les prix sont ___________ .

4 Geneviève décide de prendre le dessert le moins ___________ .

5 C'est son père qui est au ___________.

6 Soudain, Geneviève a très ___________ .

7 Son père téléphone partout depuis une ___________ .

8 Geneviève doit aller tout de suite chez ses ___________ .

The last *activité* in this section will provide revision of some of the vocabulary and grammar points that you have seen so far.

## Activité 45

Read Chapter 10 of the story (page 99) and then translate the following dialogue into French, using as your model the language from this part of the story and from Chapter 6 (page 97).

*Lisez le chapitre 10 puis traduisez les dialogues suivants en français, en utilisant l'histoire comme modèle.*

| | |
|---|---|
| Gérard | The view is impressive, I am tempted … But the price is a bit excessive. |
| Son père | So, what are you going to do? |
| Gérard | I don't know. What do you think of the house? |
| Son père | Personally, I think it is very beautiful, but you are right, it is expensive. |
| Gérard | I believe there is another house for sale close by. It's on the right, just after the bridge. |
| Son père | Is it a lot cheaper? |
| Gérard | Yes. We can go and see it together, if you want. |

# Section 6

In this section, events in the story seem to confirm Geneviève's suspicions, though Pascal gives her news she didn't expect. Things still don't quite add up. Nadine is at *L'Agence Nationale pour l'Emploi* (the ANPE), finding out how the French national employment agency works. Through working on these audio extracts you will learn how to talk about your work situation and a bit more about French verbs.

## Onzième chapitre: Fièvre et piqûres

Geneviève arrives back at the house, anxious to find out how her grandmother is. The next two *activités* will tell you more.

### Activité 46

**AUDIO 32**

Listen to Chapter 11 then answer the following questions in English.

*Écoutez le chapitre 11 puis répondez aux questions suivantes en anglais.*

1 Why is Geneviève's help needed?

2 What is the false assumption that Geneviève has made?

### Activité 47

**AUDIO 32**

Listen again to the chapter on the cassette, this time to identify the person who does each of the following actions. Choose from the names in the box overleaf. Note that the word *personne* is always feminine in French, even if it refers to a male.

*Écoutez de nouveau le chapitre pour identifier la personne qui fait les actions décrites dans le tableau à la page suivante. Choisissez parmi les noms qui sont dans l'encadré.*

| *Cette personne...* | *C'est...* |
|---|---|
| 1 ouvre la porte | |
| 2 a de la fièvre | |
| 3 est venue pendant la matinée | |
| 4 est venue un peu plus tard | |
| 5 a une réunion à Lyon | |
| 6 est en vacances | |
| 7 travaille pour les hypermarchés Lebon | |
| 8 est professeur | |
| 9 est le frère de Nicolas | |
| 10 n'est pas malade (comme Geneviève le croit) | |

(a) Clément, (b) Colette, (c) le docteur,
(d) Geneviève, (e) la grand-mère, (f) l'infirmière,
(g) Mathilde, (h) Pascal, (i) le grand-père

The consonant 'r' and the vowel 'u' are some of the most typical sounds in French. In the next *activité*, you get a chance to practise both of them together.

## Activité 48

**AUDIO 33**

1 In Extract 33, you'll hear an advert for a skin cream. Listen to it while you read the transcript below.

*Écoutez l'Extrait 33 en lisant le texte ci-dessous.*

Demandez ACTIPURE, la crème qui soigne les petites blessures, morsures, piqûres, éraflures et coupures.

Avec ACTIPURE, vous profitez de la nature.

2 Now listen again, this time reading the advert out loud as you hear it.

*Réécoutez la publicité d'ACTIPURE et lisez-la tout haut.*

## Interview: À quoi sert l'ANPE?

In this interview Nadine is talking to Jean-Louis Damit about the ANPE, which is much more than just a job centre, as you'll see by doing *Activité 49* .

The following *activité* will test your comprehension of this interview.

### Activité 49

**AUDIO 34**

Listen to the extract, then read through the statements below and tick the box if the statement is correct.

*Ècoutez l'Extrait 34 puis lisez les phrases ci-dessous. Cochez celles qui donnent une information correcte.*

Who is l'ANPE for?

1 People who are unemployed ❑
2 People who are looking for a new job ❑
3 People who want to learn a new trade ❑
4 People who want to go to a different part of the country ❑
5 People who want to get better at the job they are doing ❑
6 People who would like to have better qualifications ❑
7 People who want to earn more than they do presently ❑
8 People who want a more interesting job ❑

### Talking about your job situation

Here are a few questions you may be asked by someone enquiring about your job:

Quel est votre emploi?

Quelle est votre profession?

Qu'est-ce que vous faites dans la vie?

They all mean 'What's your job' or 'What do you do [for a living]?'

This is how M. Damit and five characters in the story would answer:

M. Damit Je suis directeur de l'ANPE à Aubusson.

Geneviève Je suis professeur dans le secondaire.

| | |
|---|---|
| Le docteur qui soigne Colette | Je suis médecin. |
| L'infirmière qui a fait une piqûre à Colette | Je suis infirmière. |
| Pascal | Je suis directeur régional pour les hypermarchés Lebon. |
| Pierrot, qui ne trouve pas de travail | Je suis au chômage. |

You will notice that in French there is no article before the name of the job (*Je suis professeur*), although there is one in English (I am a teacher).

Now it's your turn to talk about your job situation, and those of people you know.

## Activité 50

Answer the first question for yourself, then answer the second question for the people of your choice. If you do not know the French for a given job, look it up in a dictionary.

*Donnez votre réponse personnelle à la première question puis répondez à la deuxième question pour les personnes de votre choix.*

1 Qu'est-ce que vous faites dans la vie?

2 Et votre femme, / meilleure amie, / fille, / mère, / sœur, qu'est-ce qu'elle fait dans la vie?

| | | | |
|---|---|---|---|
| 2 | Et votre | femme,<br>meilleure amie,<br>fille,<br>mère,<br>sœur, | qu'est-ce qu'elle fait dans la vie? |
| 3 | Et votre | mari,<br>meilleur ami,<br>fils,<br>père,<br>frère, | qu'est-ce qu'il fait dans la vie? |

## Pour le plaisir

AUDIO 35

Now listen to these two word puzzles, which in French we call *charades*. In a typical *charade* you must guess a word or phrase, which has been split into different parts. So, when you hear *mon premier* expect a definition of the first part. *Et mon tout* helps you guess what the answer to the whole puzzle is.

***Première charade***

Mon premier n'est pas un amateur
Mon deuxième a une baguette magique
Mon troisième est la fille de mes parents
Et mon tout... a beaucoup trop de vacances!

(pro-fée-sœur, professeur)

***Deuxième charade***

Mon premier n'est pas bas
Mon deuxième n'est pas froid
Mon troisième apporte de l'or à l'enfant Jésus
Et mon tout est sans travail!

(haut-chaud-mage, au chômage)

## Douzième chapitre: Une indigestion?

In this chapter Geneviève finds out what happened to Colette that morning. Indigestion ... or was it?

### Activité 51

AUDIO 36

Listen to Chapter 12 and answer the following questions in English.

*Écoutez le chapitre 12 puis répondez en anglais aux questions suivantes.*

1 To what did Colette first put down her illness?
2 What is so odd about Colette being the only one to be sick?

### Activité 52

AUDIO 36

Listen to Chapter 12 again and place the events below in their correct order.

*Écoutez le chapitre 12 de nouveau puis mettez les événements ci-dessous dans le bon ordre.*

1 Colette prend sa température.
2 Colette continue à travailler.
3 Il demande ce que Colette a mangé.
4 Colette commence à avoir mal à la tête.
5 Le père de Geneviève l'appelle au téléphone.
6 On appelle le docteur.
7 Colette commence à vomir.
8 Geneviève arrive chez ses grands-parents.
9 Colette a mal au ventre.
10 Colette et sa mère arrivent chez les grands-parents.
11 Pascal arrive chez les grands-parents avec les jumeaux.

## Using verbs followed by 'à' or 'de'

While reading the previous chapters you may have noticed the construction of a verb, followed by a preposition (*à* or *de*), and a verb in the infinitive:

> *Je m'arrête de lire.*
> I stop reading.
>
> *Je n'ai pas envie de garder les jumeaux.*
> I don't feel like looking after the twins.

There are several examples of this construction in Chapter 12, and also of verbs followed by *à*. The next two *activités* will give you some practice in recognizing and using them.

### Activité 53

**AUDIO 36**

Listen again to Chapter 12 and fill in the blanks below with *à* or *de*.

*Écoutez de nouveau le chapitre 12 et complétez les phrases avec 'à' ou 'de'.*

1 Colette et sa mère veulent aider la grand-mère ___________ tout ranger.

2 Colette se sent mal mais elle ne s'arrête pas ___________ travailler.

3 C'est une personne active, elle a toujours besoin ___________ s'occuper.

4 Mais elle continue ___________ avoir mal à la tête.

5 Elle commence même ___________ vomir.

6 Sa mère lui dit d'essayer ___________ prendre un peu d'eau.

7 Mais Colette refuse ___________ boire.

### Activité 54

Translate the following sentences into French.

*Traduisez les phrases suivantes en français.*

1 Can you help your grandmother find her glasses?

2 M. Leroux, you must try to eat less and you must start doing some exercise.

3 Stop talking about your health! It's irritating!

4 Do you need to take all this medicine?

## Saying something hurts

You may have noticed that the French *avoir mal à* + part of the body translates into a variety of expressions in English (note the use of *à la* + feminine and *au* + masculine):

> *Colette a mal* ***à la*** *tête.*
> Colette has a headache.

*Elle a mal* ***au*** *ventre.*
She has an upset tummy.

*Elle a mal* ***au*** *cœur.*
She feels sick.

The next *activité* will help you practise these expressions.

## Activité 55

Fill in the crossword with the words missing in the sentences. To help you we have given you the answer for the first one.

*Mettez dans la grille de mots croisés les mots qui manquent dans chacune des phrases ci-dessous.*

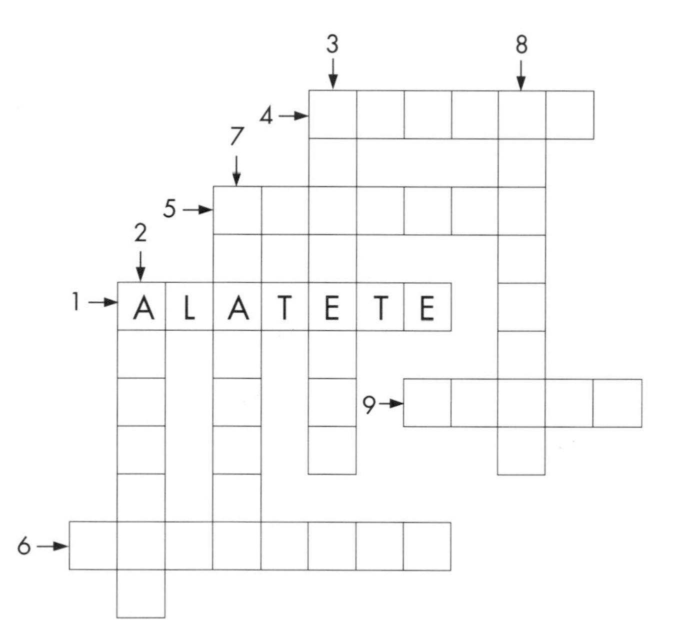


1 Si tu as mal **à la tête**, prends une aspirine.

2 J'ai toujours mal ___________ quand je voyage en bateau.

3 Si vous avez mal ___________, il faut aller chez le dentiste.

4 Quand je joue au tennis trop longtemps, le lendemain j'ai toujours mal ___________.

5 Tu as mal ___________ parce que tu regardes trop la télévision.

6 Elle a mal ___________ parce qu'elle a mangé du poisson pas frais.

7 J'ai tellement mal ________________ que je ne peux pas parler.

8 Je n'ai jamais mal ________________, parce que je porte toujours des chaussures très confortables.

9 Si je porte des paquets trop lourds, après, j'ai mal ________________.

The next *activité* will give you some practice in explaining to a doctor what's wrong with someone.

## Activité 56

**AUDIO 37**

1 Read Chapters 11 and 12 (page 100). Imagine that you are a close friend of the family and that you are alone with Colette when she feels ill. You're going to have to call the doctor. First note down what's wrong with her using the words and phrases from these two chapters. Also be prepared to say what you all ate the day before. You know this from Chapters 1 and 2 (page 90).

*Lisez les chapitres 11 et 12. Vous êtes un(e) ami(e) proche de la famille. Vous êtes seul(e) avec Colette quand elle se sent malade et vous devez appeler le docteur. Préparez vos explications par écrit d'abord. Vous devez aussi être prêt(e) à expliquer ce que vous avez tous mangé la veille.*

2 Now take part in the conversation with the doctor on your cassette.

*Maintenant, participez à la conversation avec le docteur sur votre cassette.*

# Section 7

In this part of the story one of the twins inadvertently finds the cause of Colette's illness, she goes to hospital, and Geneviève discovers more about Mathilde's relationship with her grandparents. Nadine is still discovering more about the Creuse, this time exploring its folklore by listening to a tale told by an accomplished story-teller. In this section you will learn how to keep track of a conversation, learn how to pronounce nasal vowels and you will find out about the two most common past tenses in French.

## Treizième chapitre: Découverte

In this episode Geneviève enquires after her grandmother's health and gets a surprising answer. Clément meanwhile also provides a shock for the whole family.

The first two *activités* will test your comprehension of this chapter, and the third will help you to improve your pronunciation: you will listen to and repeat some of the phrases you hear in this chapter.

### Activité 57

**AUDIO 38**

Listen to Chapter 13 then answer the following questions in English.

*Écoutez le chapitre 13 puis répondez aux questions suivantes en anglais.*

1 What do we learn about the grandmother's 'illness' in the morning?

2 What does everybody suspect at the end of this chapter?

### Activité 58

Read Chapter 13 (page 101) and decide which of the following statements are true and which are false.

*Lisez le chapitre 13 et cochez vrai ou faux pour chaque phrase.*

| | | Vrai | Faux |
|---|---|---|---|
| 1 | Colette et sa mère sont dans la cuisine. | ❑ | ❑ |
| 2 | La grand-mère ne va pas bien du tout. | ❑ | ❑ |
| 3 | Édouard joue avec Clément et Nicolas. | ❑ | ❑ |
| 4 | Lucienne est jalouse de Mathilde. | ❑ | ❑ |
| 5 | La grand-mère a dit un mensonge à son mari. | ❑ | ❑ |

6 Nicolas veut manger des chocolats. ❑ ❑

7 La boîte de chocolats est encore pleine. ❑ ❑

8 La grand-mère a mangé tous les chocolats. ❑ ❑

9 Colette est très gourmande. ❑ ❑

Activité 59

AUDIO 39

Listen to the dialogues on your cassette and repeat in the pauses. Try to imitate the pronunciation as well as you can. Pay particular attention to *mieux* in the first dialogue, the sounds of 'j' and 'ch' in the second, and to the intonation in the third.

*Écoutez les dialogues sur votre cassette et répétez à chaque fois dans la pause. Imitez bien la prononciation et l'intonation de chaque phrase.*

## Interview: Le diable, le meunier et sa fille

In this interview Mme Taboury does nearly all the talking, recounting a colourful local legend about the devil, the miller and his daughter.

Mme Taboury is a good story-teller, but some of the language she uses may be unfamiliar to you. If so, you might like to refer to the transcript (page 111), or to *Les mots et les expressions* for some extra help.

The first two *activités* will test your comprehension of this interview.

Activité 60

AUDIO 40

Listen to the legend then answer the questions in English.

*Écoutez la légende puis répondez aux questions en anglais.*

1 State the miller's problem.

2 What had he started doing?

3 Why was he feeling desperate?

4 Explain the bargain struck between the miller and the devil.

5 Confident of success, what had the devil done?

6 Why was the girl feeling so desperate?

7 What gave the girl the idea as to what she should do?

8 How did her cunning prevail over the devil?

Pour le plaisir

AUDIO 41

Listen to a very popular children's song, about a miller who is asleep while he should be working.

***Meunier, tu dors...***

Meunier, tu dors, ton moulin, ton moulin va trop vite.
Meunier, tu dors, ton moulin, ton moulin va trop fort.
Ton moulin, ton moulin va trop vite, ton moulin, ton moulin
va trop fort. (bis)
Meunier, viens-tu, le travail, le travail se décide.
Meunier, viens-tu, le travail, le travail est perdu.
Ton moulin, ton moulin va trop vite, ton moulin, ton moulin
va trop fort. (bis)

## Listening for new topics in a story or conversation

One of the most difficult things to do when listening to a conversation or story in a foreign language is to keep track of what's going on, as topics change and speakers move on swiftly from one subject to the next. Just as, in reading, you understand better if you can hang on to the focus of each paragraph, listening becomes easier if you can train yourself to notice the clues to a change of topic. In the story which you have just heard, the narrator is very generous with her clues. Every time she is about to move to the next topic, she uses an expression to show how events progress, then she announces the name of the character at the centre of the next part of the story. The following table shows you how this is done.

| Paragraph no. in story (p.111) | What happens next? | Who or what is the next part of the story about? |
|---|---|---|
| 2 | donc | le diable |
| 3 | alors | le meunier |
| 4 | alors | le diable |
| 5 | alors | la fille du meunier |
| 6 | et à ce moment-là | la fille du meunier |
| 7 | et comme | le coq |

Often people aren't just telling a story, and they don't always explain things as clearly as Mme Taboury. To help you find your way through the ins and outs of ordinary conversation, here are a few phrases that are likely to recur:

*au début, d'abord* in the first place, first
*après, ensuite, puis, et puis* then, next
*un jour* one day
*un matin* one morning
*un soir* one evening
*le lendemain* the next day
*enfin, à la fin, finalement* in the end, finally

And when all else fails and you're lost, you can always say:

> *Vous allez trop vite pour moi.*
> You're going too fast for me.

The other person would have to be very hard-hearted not to come to your rescue and explain where the conversation had got to. In any case, as you already know, authentic conversation is notoriously repetitive: you may well find that topics raised earlier crop up again later. It's always better if you can go with the flow, rather than try to cling to every detail and end up a few seconds behind throughout. Practise this when you next listen to the story: for example when you come to Chapter 14, *La bague de fiançailles.*

## Recognizing the sounds of nasal vowels

The sound of the vowels *a, e, i, o, u, y* changes to become nasal when they are followed by an *-n* (or an *-m*). Look at the following example:

> **un** b**on** v**in** se fait **en** un **an**

The final consonants in a word are usually not pronounced in French, which is why words which may look complex are in fact often easy to pronounce. For example, in the sentence below *-ent, -emps, -em, -ans* and *-amps* are all pronounced like *an* in the sentence above.

> le v**ent** du print**emps** **em**porte ton parfum d**ans** les ch**amps**

The next *activité* will help you recognize and reproduce these nasal sounds.

### Activité 61

**AUDIO 42**

Listen to a few lines from the miller's tale, which have been reproduced in Extract 42 and which are also transcribed below. When you hear a nasal sound underline the letters to which it corresponds.

*Écoutez un court passage de la légende, reproduit dans l'Extrait 42. Soulignez dans la transcription ci-dessous les sons 'an', 'in', 'on' ou 'un' que vous entendez.*

> Donc le diable, ayant entendu le meunier se plaindre, il lui dit: 'On va faire un marché. Si tu me donnes ta fille en mariage, moi je détourne le ruisseau pour toi, c'est un petit travail pour moi qui me prendra à peine une nuit.'

### Activité 62

**AUDIO 43**

1 The following sentences are recorded in Extract 43. Listen to them once and when you hear a nasal sound underline the letters as you did in *Activité 61*. One of them has been done for you.

*Écoutez les phrases suivantes enregistrées sur votre cassette. Faites le même exercice que dans l'Activité 61.*

(a) Un bon vin se fait en un an.

(b) Le vent du printemps emporte ton parfum dans les champs.

(c) Prends ton temps.

(d) L'ambulance emporte André.

(e) Je plains son oncle et sa tante: ils sont sans un sou.

(f) Je sens encore le parfum du thym dans les montagnes de Provence.

2 Listen again to Extract 43 and repeat the sentences in the pauses.

*Maintenant écoutez de nouveau les phrases et répétez-les dans les pauses.*

## Quatorzième chapitre: La bague de fiançailles

While Colette is being treated in hospital, Geneviève delves further into her grandfather's past and in doing so sheds more light on recent events. The next *activité* will help you discover what has been going on.

### Activité 63

**AUDIO 44**

Listen to Chapter 14 of the story then do the following exercises.

*Écoutez le chapitre 14 puis faites les exercices suivants.*

1 Put the events listed below in the right order.

*Remettez les événements dans l'ordre.*

(a) Colette va enfin beaucoup mieux.

(b) Les chocolats sont analysés.

(c) On donne les soins appropriés à Colette.

(d) La famille emmène Colette à l'hôpital.

(e) On découvre que les chocolats contiennent de la nicotine.

2 Answer the following questions in English.

*Répondez aux questions suivantes en anglais.*

(a) What was the nature of Édouard and Mathilde's relationship?

(b) Why was life hard for them?

(c) What was the attraction of Lucienne for Édouard?

(d) What did Édouard do about it?

(e) What plan did Lucienne carry out that made Mathilde leave?

(f) How did Édouard find out why Mathilde had left?

## *Recognizing the two main past tenses in French*

In Chapter 14 of the story, *La bague de fiançailles*, the story of the two lovers was told in the past tense. In French, there are two main ways of referring to the past, using the perfect and imperfect tenses.

### Recognizing the perfect tense

The perfect tense has two parts to it, which is why its name in French is *passé composé*, or compound past. There are two examples of this tense and its structure given below:

> *Lucienne* ***est arrivée*** .
> Lucienne came.
>
> *J'****ai commencé*** *à la voir en cachette.*
> I started seeing her in secret.

In Chapter 13, *Découverte*, this past tense also occurred:

Grand-père — *Lucienne, tu* ***as*** *tout* ***mangé****? Tu n'****as*** *pas* ***laissé*** *de chocolats pour les enfants? Quelle gourmande!*
Lucienne, have you eaten everything? Didn't you leave any chocolate for the children? How greedy!

Grand-mère — *Mais pas du tout. Je n'****ai*** *pas* ***touché*** *à la boîte.*
Not at all! I didn't touch the box.

The two parts of the verb are shown here in columns 2 and 4: the present` of *avoir* is followed by a verb form ending in *-é*.

| *1* | ***2 Present of avoir*** | *3* | ***4 Verb form ending in -é*** |
|---|---|---|---|
| tu | **as** | tout | **mangé** |
| tu n' | **as** | pas | **laissé** |
| je n' | **ai** | pas | **touché** |

In the examples above, the first part of the perfect tense is the verb *avoir*. Most verbs form their perfect in this way. However, some verbs take *être* instead. Also, above, the second part of the perfect tense ends in *-é*. With other verbs, again, a different ending is used. Here is what the second element of the perfect looks like, when using verbs belonging to the three main verb groups of French.

| ***verbs ending in -er*** | ***verbs ending in -ir*** | ***verbs ending in -re*** |
|---|---|---|
| laisser → laissé | finir → fini | vendre → vendu |
| commencer → commencé | grandir → grandi | perdre → perdu |

### Recognizing the imperfect tense

The other past tense appears in Lucienne's revelation:

> *C'est Colette qui **mangeait** les chocolats, ce matin, pendant qu'elle **rangeait** la cuisine.*
> Colette was the one who was eating the chocolates this morning, as she was tidying up the kitchen.

The imperfect (called *l'imparfait* in French) is used here. Here is what the imperfect looks like, when using verbs belonging to the three main verb groups:

| *verbs ending in -er* | *verbs ending in -ir* | *verbs ending in -re* |
|---|---|---|
| je laissais | je finissais | je vendais |
| tu laissais | tu finissais | tu vendais |
| il/elle laissait | il/elle finissait | il/elle vendait |
| nous laissions | nous finissions | nous vendions |
| vous laissiez | vous finissiez | vous vendiez |
| ils/elles laissaient | ils/elles finissaient | ils/elles vendaient |

The perfect and the imperfect allow us to talk about different types of past actions, as we will see after the next *activité*.

*Activité 64*

Read Chapter 14 of the story. Underline in the text all of the verbs in the imperfect and perfect tenses, in the passage *'Moi et Mathilde nous étions très amoureux... quelques années plus tard'* (page 102). Don't look at the *Corrigé* now. Wait until you've finished *Activité 65*.

*Lisez le chapitre 14. Soulignez les exemples d'imparfait et de passé composé dans le passage 'Moi et Mathilde nous étions très amoureux... quelques années plus tard'.*

## Understanding the difference between the perfect and imperfect tenses

You've already seen the structure of the two different past tenses, the perfect and the imperfect. Now here is the distinction between them. The imperfect is used to describe a state of affairs that lasted (even if only for a short while) in the past:

> *nous étions amoureux*
> we were in love

> *pendant que je dormais*
> while I was asleep

The perfect tense, on the other hand, narrates completed events or actions:

> *elle a acheté une bague*
> she bought a ring
>
> *et je ne l'ai plus jamais revue*
> and I never saw her again

The French language has many uses for these two past tenses, and the distinction between them has only been touched on above. As you read and listen to more French, you will come across examples of uses of the perfect and imperfect tenses, but for the moment, be aware of the basic difference which the following *activité* encourages you to focus on.

## Activité 65

Look again at the text in which you underlined the verbs (page 102). Choose three sentences to go in each of the columns in the table below. To help you, we have given you two examples.

*Dans chacune des colonnes ci-dessous, copiez trois phrases du texte.*

| ***Lasting state of affairs*** | ***Completed event*** |
|---|---|
| Nous **étions** très amoureux | Lucienne **est arrivée** |

# Section 8

In this section the story continues as news of the poisoned chocolates becomes national and Mathilde seems destined for a meeting with the police, despite Édouard's reluctance. But perhaps Mathilde is not as guilty as everyone thinks. Meanwhile, Nadine gets to grips with the antagonisms of local party politics, interviewing the mayor of Aubusson. At the end of this section you will be able to say 'what could happen' and make polite requests.

## Quinzième chapitre: Bulletin d'informations

This chapter sees recent events thrust into the media limelight, while back in their home town Geneviève and her family go looking for Mathilde.

The first *activité* will test your comprehension of this chapter. The second will help you practise the sound of *-tion* again.

### Activité 66

**AUDIO 45**

Listen to Chapter 15 of the story. Who do the statements below refer to? Choose your answers from the box.

*Écoutez le chapitre 15 puis dites à qui se réfèrent les phrases suivantes.*

1 Pour Lucienne, elle est la principale suspecte.

2 C'est la personne qui lit les informations à la radio.

3 Il pense qu'il faut parler des chocolats dans les journaux, à la radio et à la télévision.

4 Il semble vraiment très triste.

5 Elle a une constitution robuste.

6 Il n'a pas la même opinion que sa femme.

7 Il a rencontré les chefs d'États africains.

8 Elle accompagne Édouard au Régence.

9 Ils écoutent les informations dans la voiture.

| Édouard, Colette, le présentateur, Geneviève, le président de la République, le docteur, Mathilde |
|---|

### Activité 67

**AUDIO 46**

You have already heard the following vocabulary in Sections 5, 6, 7 and 8. Listen to the sentences in Extract 46 on your cassette and repeat them in the pauses. Pay particular attention to the pronunciation of *-tion* or *-tio* and of nasal vowels.

*Écoutez les phrases suivantes sur votre cassette et répétez-les pendant les pauses.*

1. Au *Canard Joyeux* les por**tions** ne s**ont** pas très généreuses.
2. Pascal explique la situa**tion**.
3. À l'hôpital sa c**on**di**tion** s'améliore.
4. Je rac**on**te ma c**on**versa**tion** avec Mathilde.
5. Il faut faire une ann**on**ce na**tio**nale dans les médias.
6. Nous écout**ons** le bullet**in** d'**in**forma**tions**.
7. La **con**somma**tion** de ces chocolats pourrait être d**an**gereuse.

## Saying what could happen

In Chapter 15, *Bulletin d'informations*, we are told what could happen as a result of the chocolates being tampered with:

> *Elles [les boîtes]* ***pourraient*** *causer la mort d'un enfant.*
> They could cause a child's death.
>
> and
>
> *La consommation de ces chocolats* ***pourrait*** *être extrêmement dangereuse.*
> Eating these chocolates could be extremely dangerous.

Both verbs in bold are forms of *pouvoir*, followed by a verb in the infinitive, and meaning the same as 'could' + infinitive. Here are some other examples:

> *Je* ***pourrais*** *aller à l'hôtel pour ne pas vous déranger.*
> I could stay in a hotel so as not to put you out.
>
> *Tu* ***pourrais*** *mettre un panneau au bord de la route pour empêcher les gens de se tromper.*
> You could put up a sign by the roadside so as to stop people going the wrong way.
>
> *Il* ***pourrait*** *faire beau demain.*
> Tomorrow could be a nice day.

*Vous **pourriez** essayer le bœuf au poivre rose.*
You could try the beef with pink peppercorn sauce.

*Ne coupe pas cette pomme de terre les yeux fermés, ça **pourrait** être dangereux.*
Don't slice this potato with your eyes shut, it could be dangerous.

Later on, you will learn how to use the same kind of expression in order to be polite when you're asking for things.

Activité 68

Translate these four sentences into French.

*Traduisez ces quatre phrases en français.*

1 I could sell my house.

2 That could be the solution.

3 We could go to the park if the weather is fine tomorrow.

4 If you want a better salary you could go to the ANPE.

## Asking politely for things

You have learned how to say what could happen. If you simply use *je pourrais* or *vous pourriez* + infinitive and raise your voice at the end, you will also have learned a way of asking politely. For example:

*Je **pourrais** ouvrir la fenêtre?*
Do you mind if I open the window?

*Je **pourrais** avoir l'addition?*
I'd like the bill please.

*Vous **pourriez** me renseigner?*
Could you give me some information, please?

*Vous **pourriez** déplacer votre voiture?*
Would you mind moving your car?

The four short dialogues recorded on your cassette will help you practise this form.

Activité 69

AUDIO 47

Following the suggestions given in English on your cassette, answer each question in French.

*Répondez en français à chaque question en suivant les suggestions données en anglais.*

## Pour le plaisir

AUDIO 48

Listen to this short poem, which plays on many of the sounds you have practised so far.

***Salade de sons***

À la demi-pension,
Mamie mendiait
Des portions de scorpions.
Bien sûr, sans navets
Parce qu'elle les avait
En aversion!

# Interview: Les Verts et les Chasseurs

M. Ratelade is Mayor of Aubusson and in this interview tells Nadine about the conflicting interests of two local political parties – the 'Hunters' and the 'Greens'.

The first two *activités* will test your comprehension of this interview. The second one will also focus your attention on spelling, and on some of the vocabulary associated with politics.

## Activité 70

AUDIO 49

Listen to the interview then answer the following questions in English.

*Écoutez l'interview puis répondez aux questions ci-dessous en anglais.*

1 How serious does M. Ratelade feel the resentment between the Hunters and the Greens is?

2 Why does he tend to side with the Hunters?

## Activité 71

AUDIO 49

Listen again to the interview then complete the key words which have been left unfinished in this summary.

*Écoutez de nouveau l'interview puis ajoutez les lettres qui manquent à certains mots dans ce résumé.*

Dans le dép__________ de la Creuse, deux par__________ s'opposent: les éco__________ , qu'on appelle aussi les Verts, et les Cha__________ . D'après M. Ratelade, les premiers sont souvent des cit__________ qui ne connaissent pas suffisamment le mil__________ naturel. Les seconds savent respecter la nature parce que ce sont les hab__________ d'une zone rur__________ . Ces deux par__________ sont à égalité sur le plan éle__________ : ils rep__________ chacun environ 8% des électeurs.

## Seizième chapitre: Indignation mutuelle

In this chapter of the story, Geneviève gets another important phone call as the mystery begins to unravel, but who is the would-be assassin and who the intended victim? Find out some of the answers in the next two *activités*.

### Activité 72

**AUDIO 50**

Listen to Chapter 16 then answer the following questions in English.

*Écoutez le chapitre 16 puis répondez aux questions suivantes en anglais.*

1 Whose telephone is ringing?

2 Why do you think Geneviève doesn't recognize Mathilde's voice right away?

3 Why does Mathilde become rather indignant?

4 How do we know that she is not guilty?

### Activité 73

Now read Chapter 16 (page 103) to find which French phrases in the text could be summed up by the single word in the left-hand column below.

*Maintenant, relisez le chapitre 16 pour trouver les expressions qui peuvent être résumées par le mot de la colonne de gauche ci-dessous.*

| | **Texte** |
|---|---|
| 1 Apology | |
| 2 Urgency (2 possibilities) | |
| 3 Necessity | |
| 4 Anger | |
| 5 Accusation (2 possibilities) | |
| 6 Denial (2 possibilities) | |

The next *activité* will help you practise some of the expressions you have heard and read in Chapter 16.

## Activité 74

**AUDIO 51**

In this extract you need to speak to your friend Thérèse urgently. You've called everywhere but you haven't found her. Finally you call her parents' number. Talk to her mother, following the prompts given in English.

*Vous devez parler d'urgence à votre amie Thérèse. Vous avez appelé partout mais elle n'était pas là. Vous faites le numéro de ses parents et vous parlez à sa mère.*

The two chapters in this section contain many time expressions. Here is an opportunity for you to find out how good your memory is, by seeing if you can remember these expressions from your listening and reading.

## Activité 75

1 Write down the French equivalents of the expressions listed below.

*Écrivez l'équivalent français des expressions données ci-dessous.*

(a) first of all

(b) an hour ago

(c) so late

(d) at that moment

(e) until tomorrow morning

(f) straight away

(g) then

2 Read the two chapters again to check your answers.

*Relisez les deux chapitres pour vérifier vos réponses.*

# Section 9

In the best tradition of mystery stories, the loose ends are neatly tied up in this final section. Nadine also completes her exploration of the Creuse by listening to the story of a walk in the country. At the end of this section you will know more about how to use *qui* and *que* and you'll also do some more pronunciation practice.

## Dix-septième chapitre: Le vrai coupable

In this chapter the mystery of Mathilde's disappearance is solved, while for the first time in the story, it is Mathilde who receives a nasty shock. The next two *activités* will help you find out more.

### Activité 76

AUDIO 52

Listen to Chapter 17 then answer the following questions in English.

*Écoutez le chapitre 17 puis répondez en anglais aux questions suivantes.*

1 What does Mathilde's choice of chocolates tell us about her feelings for Lucienne?

2 What do we suspect about the nephew's intentions?

3 Why hasn't Mathilde already contacted the police?

### Activité 77

AUDIO 52

1 Listen again to Chapter 17 and fill in the blanks in the transcript below.

*Écoutez de nouveau le chapitre 17 et complétez la transcription ci-dessous.*

Et Mathilde ____________ : 'J'ai une confession à vous faire, ____________ . Cette ____________ boîte de chocolats, je ne l'ai pas achetée pour votre grand-mère… La bouteille de champagne que j'ai apportée, je l'ai ____________ spécialement pour Édouard. Mais pour Lucienne j'ai ____________ cette boîte que j'avais dans mon ____________ , c'était un ____________ de Noël de mon neveu, enfin, du neveu de mon ____________ mari. Je n'aime que les très ____________ chocolats, et Chocos Chouette, ce n'est pas de la très ____________ qualité… Je me suis dit: "Ça ____________ pour Lucienne!" '

J'interromps: 'Mais alors, Mathilde, c'est votre ____________ qui a mis du ____________ dans les chocolats! Avez-vous ____________ contacté la police?'

'Non', répond-elle, 'je voulais ____________ empêcher votre grand-mère ____________ manger les chocolats...'

2 Now check your answers by reading the transcript of Chapter 17 (page 103).

*Maintenant, vérifiez vos réponses en lisant la transcription du chapitre 17.*

In the recordings of *Prélude* so far, you have heard a lot of words containing the sound corresponding to the letter 'é'. Here's a chance to practise pronouncing it.

**Activité 78**

**AUDIO 53**

Listen to the sentences on your cassette and given below and repeat them in the pauses, taking care to produce a sharp sound when pronouncing 'é'.

*Les phrases ci-dessous sont enregistrées sur votre cassette. Répétez-les dans les pauses. Prononcez bien le son 'é'.*

– Cette boîte de chocolats, combien elle a coûté?
– Ah, je ne sais pas, on me l'a donnée.
– Et c'est pareil pour le pâté?
– Ah non, le pâté, je l'ai acheté.

## Interview: Une amoureuse de la nature

In her interview with Nadine, Mme Taboury communicates her enthusiasm for the natural world and reveals how much pleasure she derives from a simple country walk.

The following *activité* will test your comprehension of the interview.

**Activité 79**

**AUDIO 54**

Listen to the interview then answer the following questions in French.

*Écoutez l'interview puis répondez en français aux questions suivantes.*

1 Quel temps fait-il quand Mme Taboury se promène?
2 Qui l'accompagne dans ses promenades?
3 Pourquoi emporte-t-elle des jumelles?

4 Comment s'appelle l'étang où elle a passé un si bon après-midi?

5 Qu'est-ce qu'il ne faut pas faire quand on veut observer les animaux?

6 Qu'est-ce que la grèbe apprend à ses petits?

7 Pourquoi est-ce amusant d'observer une loutre?

8 Quelle expression emploie Mme Taboury pour décrire le vol des hérons?

## Dix-huitième chapitre: Épilogue

In the final chapter of *Nicotine et vieilles amours*, all is revealed: Mathilde's future is looking considerably brighter than her nephew's, while the story ends on an enigmatic note, hinting at a love story still to come.

The first *activité* will test your comprehension of this chapter.

**Activité 80**

**AUDIO 55**

1 Listen to Chapter 18 of the story then fill in the blanks in the sentences below with the correct names.

*Écoutez le chapitre 18 puis mettez le nom qui convient dans les espaces vides des phrases ci-dessous.*

(a) ____________ a acheté une maison.

(b) ____________, ____________ et ____________ se promènent souvent dans la campagne.

(c) ____________ et ____________ font beaucoup de dessins pendant ces promenades.

(d) ____________ ne les accompagne jamais.

(e) ____________ et ____________ se rappellent leur vie d'étudiants.

(f) __________________ est en prison.

2 Now read the chapter to check your answers.

*Maintenant, relisez le chapitre 18 pour vérifier vos réponses.*

### Pronouncing 's' and 'z'

Here are a few rules to remember when pronouncing these two sounds in French. Pay particular attention to the words which are similar in English but are pronounced differently.

**1 Pronounce 's':**

- when the letter *c* precedes *e, i, y*

  Lu**c**ienne, un violon**c**elliste

- when the letter *ç* precedes *a, o, u*

  **Ç**a alors!, dé**ç**u

- when the letter *s* is at the beginning a word:

  **s**ept, tu **s**ais, **s**urtout

- when the letter *s* precedes or follows a consonant:

  la di**s**tance, Mar**s**, une expul**s**ion, un con**s**eil, co**s**métique

- when the letter *s* is doubled

  de**ss**ert, confe**ss**ion, de**ss**in, po**ss**e**ss**ion, sauci**ss**e

- the letter *x* in *soixante*

  J'ai soi**x**ante ans

- the letter *x* in *dix* and *six* when they are not followed by a noun.

  Tu en veux si**x** ou di**x**?

**2 Pronounce 'z':**

- the letter *z*

  une **z**one, néo-**z**élandais, bi**z**arre, une di**z**aine, quator**z**e

Note that you do *not* pronounce *z* at the *end* of a word except if it is followed by a word beginning with a vowel (what the French call *faire la liaison*).

No 'z' sound:

le rez-de chaussée, Répondez!, chez Joseph, assez

but:

asse**z** utile, che**z** elle, Réponde**z** à ma question!

- when the letter *s* is between two vowels

  le dé**s**ert, choi**s**issez, assi**s**e, un oi**s**eau, vous dé**s**irez?

- the letters *x* and *s* at the end of a word when they are followed by a word beginning with a vowel (the *liaison* again)

  les Beau**x**-Arts, une tarte au**x** oignons, di**x** étages, si**x** amis

  Lucienne, ça s'écrit avec deu**x** n?

  Vou**s** avez de**s** enfants?, quelque**s** années, plusieur**s** étés

The next *activité* will help you pronounce the sounds 's' and 'z' in French words.

### Activité 81

**AUDIO 56**

Listen to the following sentences which are recorded on your cassette and repeat them in the pauses. The 's' sounds are in bold, the 'z' sounds have been underlined (note that some of these occur in liaisons).

*Écoutez les phrases suivantes qui sont enregistrées sur votre cassette et répétez-les dans les pauses.*

1 J'ai une confe**ss**ion à vous faire.

2 Je me **s**uis dit: '**Ç**a **s**uffit pour Lu**c**ienne'.

3 J'ai choisi **c**e**c**i **s**pé**c**ialement pour **s**on mari.

4 Heureusement, le neveu est en prison à cause du poison.

5 Nous aimons marcher le long des étangs.

6 Il y a des choses fabuleuses à de**ss**iner.

7 C'est une habitude qu'ils ont gardée des Beaux-Arts.

### our le plaisir

**AUDIO 57**

Listen to this tongue-twister, full of 's' and 'z' sounds.

***Dites-le vite!***

Dis-donc, Zoë, tu sais qu'il y a eu soixante-cinq concerts super-chers à Buenos Aires, dont six illuminés au laser?

## Distinguishing between 'qui' and 'que'

You have come across the words *qui* and *que* many times before, in the extracts and stories of this course. Look at the following examples and note how *qui* is always followed by the verb, whereas there is always a subject (such as *je*, *ils*, or *Pierrot*) between *que* and the verb. Note also that *que* does not always need a translation in English:

*De l'insecticide* ***qui*** *contenait de la nicotine.*
Insecticide which contained nicotine.

*C'est votre neveu* ***qui*** *a mis du poison dans les chocolats.*
Your nephew is the one who put poison in the chocolates.

*Cette boîte* ***que*** *j'avais dans mon placard.*
The box which I had in my cupboard.

*La bouteille de champagne* ***que*** *j'ai apportée pour Édouard* [with agreement between *apportée* and *bouteille*].
The bottle of champagne [which] I brought for Édouard.

*Une habitude* ***qu'*** *ils ont gardée de l'École des Beaux-Arts.*
A habit [which] they kept from their days at art college.

*Les gens* ***que*** *Pierrot connaît.*
People [whom] Pierrot knows.

Note that *que* does not always need translating in English. The following activity helps you practise using these two words.

## Activité 82

Fill in the gaps below with either *qui* or *que.*

*Complétez les phrases ci-dessous avec 'qui' ou 'que'.*

1 Les promenades ____________ nous faisons le dimanche sont fabuleuses.

2 C'est la région ____________ je préfère pour prendre des photos.

3 Mon frère, ____________ aime beaucoup dessiner, emporte toujours un carnet et des crayons.

4 Ma chienne, ____________ nous suit, fait quelque fois peur aux oiseaux.

5 Au retour, c'est mon frère ____________ fait le café et c'est moi ____________ prépare les tartines de confiture.

6 C'est une habitude ____________ nous avons gardée de notre enfance.

Now here's your chance to use what you have learned, to talk about your own pastimes and hobbies.

## Activité 83

1 Read the transcripts of Mme Taboury's interview (page 111) and of Chapter 18 of the story (page 103). Write down the different expressions used to describe a leisure activity.

*Lisez la transcription de l'interview et du chapitre 18. Notez les expressions qui servent à décrire un passe-temps.*

2 Now use these expressions to write a short paragraph about one of your hobbies.

*Maintenant, utilisez ces expressions pour écrire un court paragraphe sur un de vos passe-temps.*

And now, a crossword, to give you a final opportunity to use the words and phrases you have learned in this book. Note that French crosswords work differently from English ones: in *Horizontalement* overleaf, for instance, you are given the definitions for the two words on the first horizontal line of the crossword (the first one has four letters, the second five) and so on for each subsequent line. The same happens with *Verticalement:* the first vertical line contains three different words (of six, two and two letters respectively), so you are given three definitions. Line 2 vertically contains only one word (of six letters), and so on.

## Activité 84

The clues given overleaf are of two different types: to fill in the crossword puzzle you must either decide what the missing word is in the sentence (as in *Horizontalement* 1) or find the word corresponding to the definition given (as in *Horizontalement* 2).

*Remplissez la grille de mots croisés en trouvant les mots qui manquent dans les phrases ou les mots qui correspondent aux définitions données.*

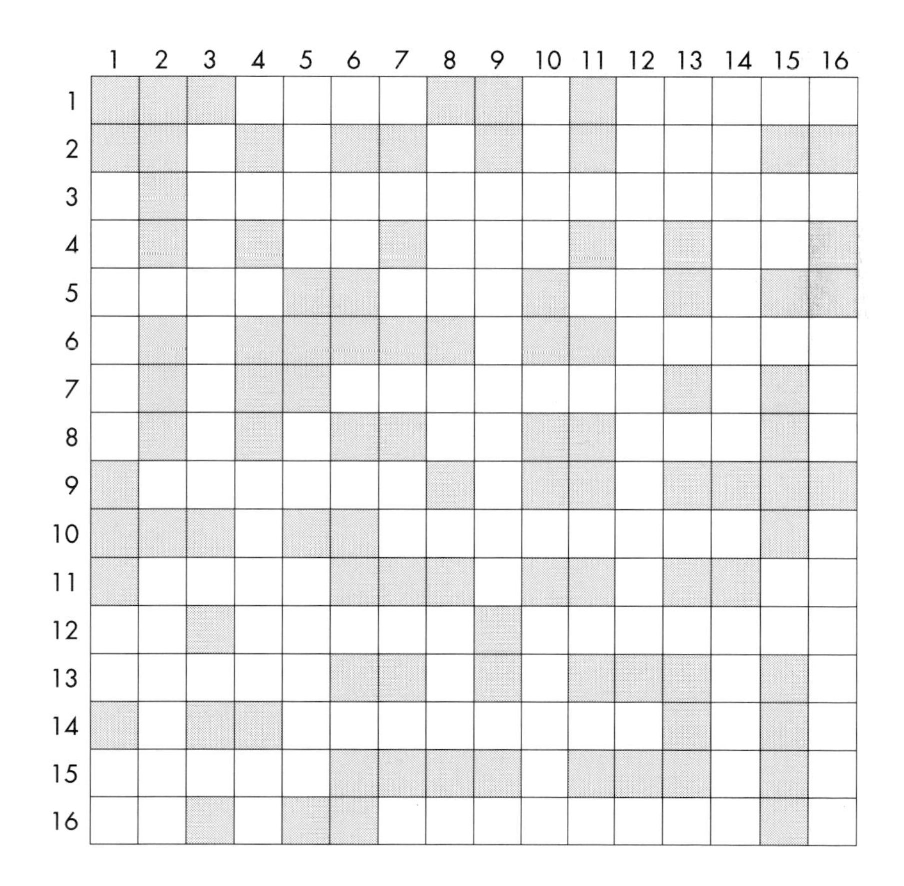

### *Horizontalement*

1 Mathilde était l' ___________ d'Édouard.

– 'Qu'est-ce que vous voulez ___________ boissons?' demande la serveuse.

2 Comme le canard, c'est une volaille.

3 Pour demander des ___________ il faut aller à l'Office du Tourisme.

4 Tu ___________ lèves à quelle heure demain matin?

– Le contraire de 'tard'.

– Elle a enlevé ___________ cape et ses gants.

5 Un des ingrédients de la sauce Canard Joyeux.

– Le contraire de 'beaucoup'.

– Un petit mot qui vient souvent avant 'dessous' dans les instructions de *Prélude*.

6 'Tu as l'air en parfaite ___________ ' dit Geneviève à sa grand-mère.

7 Ce sont de toutes petites routes.

8 Prends ___________ température, je suis sûre que tu as de la fièvre.

– Vous savez quel ___________ il a aujourd'hui? Quatre-vingts ans!

9 Le contraire de 'derrière'.

10 Il faut la payer à la fin du repas.

11 L'oncle Fernand est ___________ : sa femme est morte il y a longtemps.

– Geneviève prend ___________ voiture pour aller voir la Villa les Marronniers.

12 Tu ___________ couches à quelle heure, le soir?

– Le parti des ___________ , c'est le parti des écologistes.

– Il ne vit pas à la campagne, il vit dans une ville.

13 Un synonyme d' 'apprécier' ou 'adorer'.

14 Le comparatif de 'bon'.

15 J'aime bien cette maison, mais le prix est trop ___________ .

16 Je ___________ veux pas aller me promener aujourd'hui.

– Un instrument pour regarder les oiseaux de plus près.

### *Verticalement*

1 Édouard est toujours en ____________ aux rendez-vous.

– ' ____________ sœur a l'air si heureuse!' dit Angèle à Geneviève.

– Le festival de théâtre a lieu ____________ juillet.

2 Un synonyme de le 'jour précédent'.

3 Cette chambre donne sur la rue, et elle est assez ____________ .

4 Mathilde a perdu son mari, elle est ____________

– ____________ chez l'épicier et prends une bouteille d'huile.

5 Lucienne ____________ à son mari quand elle dit qu'elle est malade.

– ____________ crêpe est trop salée. Je vais appeler le garçon.

– Le contraire de 'ouvert'.

6 Pascal ____________ lève très tôt le matin, parce qu'il a beaucoup de travail.

7 Tu as un radiateur électrique dans ____________ chambre?

8 Le contraire de 'lentement'.

– Le grand-père ____________ Mathilde se promènent souvent ensemble.

– Mettez du ____________ et du poivre dans la soupe.

9 Colette adore les chocolats et les gâteaux, elle est très ____________ .

10 J'ai froid à la main droite parce que j'ai perdu mon ____________ !

– 'Un petit ____________ ' c'est un café au lait dans une petite tasse.

12 On y va pour voir la police.

13 La même volaille que le 2 horizontal.

14 Le contraire de 'vérité'.

– Il y en a beaucoup dans la bouche.

15 Tu me donnes un peu de ____________ bière? Elle a l'air bonne.

16 La saison la plus chaude de l'année.

– Ils se promènent sur les étangs.

## Pour le plaisir

**AUDIO 58**

Finally, here's a song that has been popular for centuries all over France and Canada (note that *v'la* stands for *voilà* and *l'* for *le. Mie* is an old version of *amie*).

***V'la l'bon vent***

Derrière chez moi y a un étang
Trois beaux canards y vont nageant
V'là l'bon vent
V'là l'joli vent
V'là l'bon vent ma mie m'appelle
V'là l'bon vent
V'là l'joli vent
V'là l'bon vent ma mie m'attend
Le fils du roi s'en va chassant
Avec son beau fusil d'argent
Visa le noir, tua le blanc
Oh, fils du roi tu es méchant

# Corrigés

**Activité 1**

1 They were both students there, and that's how they met.
2 It is also their birthday and a friend said as a joke that it would save on presents.
3 The narrator's grandparents and their great-grandchildren, the twins.
4 Geneviève and her parents do not get along that well. Nor do her uncle and his sons, especially the elder.

**Activité 2**

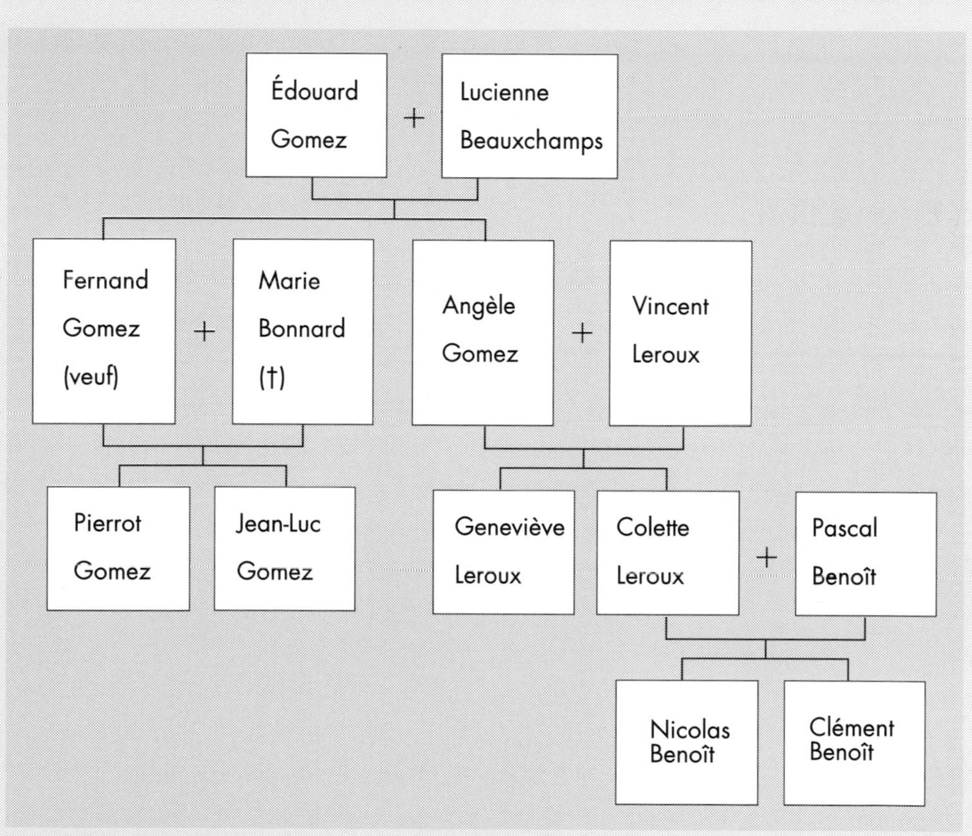


**Arbre généalogique**

**Activité 3**

1 Elle s'appelle Lucienne et elle a quatre-vingt-quatre ans.
2 Il est français, mais ses parents sont espagnols.
3 Ils ont exactement vingt-quatre ans le jour de leur mariage (*nous savons qu'ils ont quatre-vingt-quatre ans maintenant et qu'ils célèbrent leurs soixante ans de mariage*).
4 Ils ont trois ans et ils s'appellent Clément et Nicolas.
5 Il s'appelle Jean-Luc (*nous savons que Pierrot est l'aîné*).

**Activité 4**

1 You should have ticked the names shown in the box below, and added Bruno to the list.

2

| | |
|---|---|
| Les quatre filles de Mme Rance s'appellent: | Arlette, Anne-Marie, Huguette et Marie-Claude |
| Ses trois petits-fils s'appellent: | Bruno, Philippe et Stéphane |
| Ses trois petites-filles s'appellent: | Frédérique, Catherine et Sandrine |

**Activité 5**

1 She would really like her daughter to get married.

2 Madame Leroux thinks her other daughter looks really happy (*Colette a l'air si heureuse!*). Instead, Geneviève thinks her sister looks totally exhausted (*Colette a plutôt l'air complètement épuisée...*).

3 It's 1 pm on Sunday (so, most people will be having lunch too and they wouldn't be visiting), and anyway the family is not expecting anybody (*on n'attend personne*), as this is a celebration, and they are all present already (*toute la famille est là*).

4 He hasn't heard the bell. He's probably a bit hard of hearing.

**Activité 6**

(a) 6, (b) 10, (c) 15, (d) 30, (e) 60

**Activité 9**

These are the questions you are asked on the tape:

- Comment vous appelez-vous?
- Et vous êtes de quelle nationalité?
- Vous êtes d'où, exactement?
- Quel âge avez-vous?

**Activité 10**

1 She's wearing winter clothes although it's July.

2 She has brought gifts for the grandparents: a bottle of champagne for Édouard and a box of chocolates for Lucienne.

3 They met at art college.

4 It implies that she has been married quite a few times.

5 She doesn't smile or get up to welcome Mathilde. It seems to show that she is not by any means pleased to see her again (but we don't yet know why).

**Activité 11**

The missing words are in bold:

Colette revient avec une **vieille** dame, bizarrement **habillée** pour la saison: elle porte une **grande** cape de laine **écarlate** et un bonnet **assorti**, de **hautes** bottes de cuir **noir**, une écharpe et des gants, **noirs** aussi. Elle a également des lunettes de soleil qui cachent une **grande** partie de son visage.

Elle tient dans les bras une bouteille de champagne et une **énorme** boîte de chocolats. Tout le monde la regarde dans le silence le plus **total**. Elle enlève ses lunettes.

'Allons, vous ne me reconnaissez pas?'

Mon grand-père est un peu **sourd**, mais il a encore très **bonne** vue.

## Activité 12

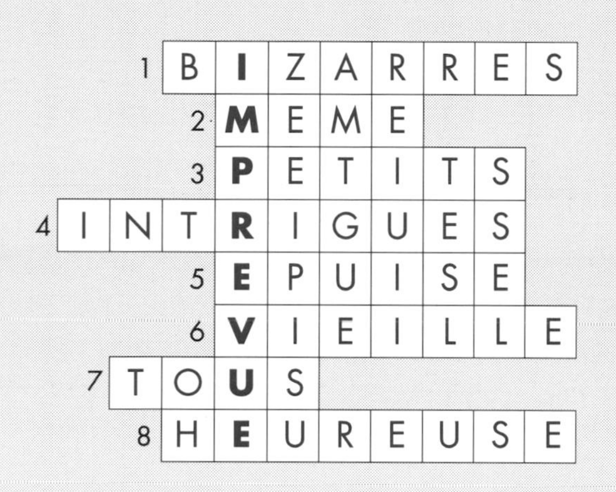


## Activité 13

1 (a), 2 (c), 3 (c), 4 (b), 5 (b)

## Activité 14

The sentences you should have translated are in bold:

**1 À l'Office du Tourisme**

Employée — Ils ont des chambres libres au Miramar, mais c'est assez loin, il faut prendre un bus.

Touriste — **Il n'y a pas un hôtel plus près du centre?**

Emloyée — Si, mais tout est complet.

**2 À la réception de l'hôtel**

Touriste — Vous avez seulement cette chambre à 400 francs? C'est vraiment cher pour moi.

Réceptionniste — **Non, j'ai une autre chambre. Elle est moins chère, mais elle est plus petite.**

Touriste — Est-ce qu'on voit la rivière de la fenêtre?

Réceptionniste — **Oui, mais la chambre à 400 francs a une meilleure vue...**

## Activité 15

1 When Mathilde talks about finding a hotel the grandmother could offer to put her up in the guest room, but she says nothing.

2 She says that old ladies have their little quirks (*les vieilles dames ont leurs habitudes*). She probably doesn't fancy being with boisterous toddlers.

3 It's the best hotel in the area (*C'est le meilleur hôtel de la région*).

4 They are surprised that Mathilde expects the central heating to be on at the hotel, as it is July. But, as Mathilde explains, she feels the cold a lot (*je suis très frileuse).*

**Activité 16**

The missing words are in bold:

| | |
|---|---|
| Réceptionniste | Hôtel Régence, bonjour. |
| Pascal | Oui, bonjour mademoiselle. Est-ce que vous **avez** une chambre **libre** pour cette nuit? |
| Réceptionniste | Pour **combien** de personnes? |
| Pascal | Pour **une** seule personne. |
| Réceptionniste | Un instant, s'il vous plaît. |
| Pascal | Oh, et si possible, avec **vue** sur la rivière. |
| Réceptionniste | Alors nous avons la 8, avec balcon, ou bien la 16, qui est **plus** grande, mais qui est **moins** calme, parce qu'elle donne sur la rue. Les deux ont une très **belle** vue. |
| Pascal | Il y a le **chauffage** central à l'hôtel, n'est-ce pas? |
| Réceptionniste | Oui monsieur, mais il ne marche pas en ce moment ... Pas en été! |
| Pascal | C'est pour une dame très **frileuse**... |
| Réceptionniste | Si vous voulez, nous pouvons mettre un **radiateur** électrique dans la chambre. |
| Pascal | Très bien, et peut-être aussi deux ou trois **couvertures** sur le lit? |
| Réceptionniste | Certainement. Vous prenez **la** 8 ou **la** 16, donc? |

2 Pascal should take room 8, as Mathilde said she needed some peace and quiet after her trip (*J'ai besoin de calme après le voyage*) and that she loved a good view from her balcony (*J'adore avoir une belle vue de mon balcon*).

**Activité 17**

1 (c), 2 (b), 3 (e), 4 (a), 5 (d), 6 (f)

**Activité 18**

1 (c), 2 (b), 3 (a), 4 (b), 5 (c)

**Activité 19**

C is the correct route map: when you are in Aubusson you should head towards Clermont-Ferrand (*vous prenez direction Clermont-Ferrand*) and stay on the Nationale for 7 kms (*vous faites 7 km / nous sommes sur la Nationale*). Then you should take a little lane that goes down to the right (*c'est un petit chemin qui descend à droite*).

**Activité 20**

1 There is a sign-post saying *'Chambres d'hôtes à droite – 100 mètres'*.

2 Not really. People sometimes telephone to say that they are lost.

**Activité 21**

Here is the conversation between the gîte owner and you:

– Allô. La ferme du Chemin Vert.
– Mme Dullin?
– Moi-même. Ah, c'est vous qui devez arriver chez nous ce matin?
– Oui, j'ai un petit problème, je suis perdu(e).
– Ah, c'est souvent ce qui se passe. Et vous êtes où, là?
– Je suis à Saint-Pardoux.
– Bon, d'accord. Et vous avez la carte devant vous?
– Oui, mais je ne vois plus la route pour vous rejoindre.

**Activité 22**

1 Lucienne may have eaten too many chocolates.

2 She wants to know everything about the region because she's thinking of buying a property in the area.

3 She suggests that instead of going to the museum, they take Geneviève's car to go and visit the property.

**Activité 23**

The missing words are in bold:

1 Mathilde se trouve **à** l'Office du Tourisme.
2 Elle n'est pas allée **au** musée.
3 Il y a une pile de brochures **devant** elle.
4 **Derrière** le château il y a le parc.
5 Mathilde aime bien les concerts **en** plein air.
6 Elle cherche une propriété **dans** le coin.
7 Il faut traverser la rivière **après** la sortie sud de la ville.
8 La propriété se trouve tout de suite **à** gauche.

**Activité 24**

The missing words are in bold:

Mathilde Quand a lieu le festival de théâtre?
Employée Du 1er **août** au 3 **septembre.**
Mathilde Où est-ce que je peux réserver les billets?
Employée **Ici**, madame.
Mathilde Et vous avez aussi le **programme**?
Employée Bien sûr. Le voici.
Mathilde Vous pouvez recommander un **bon** restaurant?

| | |
|---|---|
| Employée | Pour les plats **régionaux**, le meilleur c'est *Chez Joseph*, mais il faut **réserver** à l'avance. Et ils ne sont pas ouverts pour le **déjeuner**, seulement pour le dîner. |
| Mathilde | Est-ce qu'on peut visiter le château? |
| Employée | Tout à fait. Il y a des visites **guidées** tous les jours. Mais attention, il est **fermé** entre douze heures trente et quatorze heures. |
| Mathilde | Très bien, je vous remercie. |

**Activité 25**

1 The expressions are listed here in the order in which they appear in the chapters.

*Chapitres 1 à 3*

*le vingt-et-un juillet* 21st July

*les années trente* the thirties

*le même jour* on the same day

*la même année* the same year

*un an plus tard* a year later

*le jour de votre anniversaire* on your birthday

*par an* every year/a year

*toutes ces années* all these years

*c'est dimanche* it's Sunday

*il est une heure de l'après-midi* it's 1pm

*Chapitres 4 à 6*

*deux heures après* two hours later

*ce soir* this evening

*le matin* in the morning

*au mois de juillet* in July

*le lendemain matin* the next morning

*une demi-heure* half an hour

*toute la journée* all day

*de neuf heures à midi et demi* from 9.00 to 12.30 pm

*en été* in the summer

*cet après-midi* this afternoon

2 The expressions of time are in bold:

(a) Le musée est ouvert **de dix heures à midi et demi** mais il est fermé **cet après-midi** parce que **c'est dimanche**.

(b) Il y a trois expositions **par an** au château.

(c) **Le matin** quand je me lève je prends une tasse de café et puis, **une heure plus tard**, je mange deux ou trois croissants.

(d) Il fait toujours chaud **le jour de mon anniversaire** parce que c'est **le vingt-et-un août**.

**Activité 26**

1 She tells her to be a bit more careful (*Faites attention!*), as Mathilde was looking at the map upside down (*vous regardez la carte à l'envers*) and giving her the wrong directions.

2 The house is very modern, which is perhaps an unexpected choice for an old lady. It is also wholly furnished: knowing Mathilde's independent character, Geneviève might have expected her to choose her own style. Finally, it's a huge house for a woman on her own.

3 They visit A.

**Activité 27**

Here is an example of what you might have written:

Dans la Villa Les Marmottes il y a une chambre en bas (mais il y a seulement cinq chambres en haut). Le salon n'est pas aussi grand et il n'y a pas de table de ping-pong dans la salle de jeux. Le jardin n'est pas aussi joli parce qu'il n'y a pas beaucoup d'arbres.

**Activité 28**

Here is the dialogue that you can hear on the cassette:

| | |
|---|---|
| Employé | Quelle est votre adresse? |
| Mme Joubert | Villa les Marronniers, 76 route du Plateau de Gentioux. |
| Employé | Alors, Villa les... Vous pouvez épeler le nom s'il vous plaît? |
| Mme Joubert | Alors, Marronniers, M-a-r-r-o-n-n-i-e-r-s. |
| Employé | D'accord. Et l'adresse, c'est 73 route de quoi? |
| Mme Joubert | Non, 76, route du Plateau, P-l-a-t-e-a-u, de Gentioux, G-e-n-t-i-o-u-x. |

**Activité 30**

1 He thinks they are difficult, obsessed with prices.

2 Because they love the region and the landscape, and are not daunted by the task of renovating old houses.

## Activité 31

| | les Creusois | les Parisiens | les Anglais |
|---|---|---|---|
| Ils cherchent le confort avant tout | ✔ | | |
| Ils veulent des maisons anciennes | | | ✔ |
| Ils veulent le confort et en même temps un prix peu élevé | | ✔ | |
| Ils connaissent bien le paysage | ✔ | | |
| Ils trouvent le paysage merveilleux | | | ✔ |
| Ils ne veulent pas de maisons isolées | ✔ | | |
| Ils aiment beaucoup la région | | | ✔ |

## Activité 33

1 C'est *le Canard Joyeux.*
2 Mathilde (elle décide d'inviter Geneviève).
3 Elle veut revoir le grand-père de Geneviève.
4 Plusieurs fois (elle a dit les noms de ses différents maris dans le chapitre 3).
5 Parce qu'elle est riche.
6 Parce qu'elle est veuve.
7 Édouard et toute la famille.

## Activité 35

These are the type of answers that you might have given:

1 If you think Mathilde is a very unnerving character you might say:
   Je trouve que c'est une vieille dame extrêmement inquiétante.
2 If Geneviève sounds nice to you and if you think she is telling her story in an amusing way you might say:
   Je l'aime bien parce qu'elle a l'air vraiment gentille. Je pense que c'est une jeune femme assez amusante aussi.
3 If the grandmother sounds quite selfish and unfriendly, you might say:
   À mon avis, c'est une vieille dame vraiment égoïste et antipathique.

## Activité 36

1 It's in the sun, near the window.
2 Mathilde orders aperitifs.
3 She chooses duck pâté.
4 Her diet affects her choice of meal.
5 It's a dry white wine.
6 The three ingredients revealed are fresh cream, pink pepper and thyme. The rest is a secret!

**Activité 37** These are the items you should have ticked:

des apéritifs, entrée, le pâté, les crudités, la poitrine de volaille, à la sauce, légumes, pommes frites, boissons, un bon vin blanc, de la crème

**Activité 38**

2 Here is the dialogue in the restaurant:

| | |
|---|---|
| Le garçon | Bonjour monsieur, madame. Qu'est-ce que vous allez prendre comme entrée? |
| La cliente | La soupe du jour et le melon. |
| Le garçon | Et ensuite? |
| La cliente | Le plat du jour et les filets de sole. |
| Le garçon | Qu'est-ce que vous voulez avec le plat du jour? Les pommes frites? |
| La cliente | Non, les légumes, s'il vous plaît. |
| Le garçon | Fromage? Dessert? |
| La cliente | Le gâteau aux amandes et le sorbet au citron. |
| Le garçon | Et comme boissons? |
| La cliente | Une bière et de l'eau minérale. |
| Le garçon | Je vous sers un apéritif pour commencer? |
| La cliente | Non merci. C'est tout. |

**Activité 39** This is what the waiter says:

– Alors, qu'est-ce que vous voulez comme entrée?

– Très bien. Et ensuite?

– Et comme dessert?

– Qu'est-ce que je vous apporte comme boissons?

– Parfait. Merci beaucoup.

**Activité 40** 3, 4, 6, 2, 1, 7, 5

**Activité 41**

1 Here are the main points of the recipe in English:

You need approx 1 1/2 kg of potatoes for a pie for 10 people. Cut the potatoes into small, fine slices. Slice finely 200 g of onions. Mix, then add salt and pepper. Add the parsley and garlic mixture and the shallot.

2 The only sensible choice is (a).

**Activité 42**

Here is the dialogue that you hear on the tape:

**À l'épicerie**

| | |
|---|---|
| L'épicier | Vous désirez? |
| La cliente | Je voudrais des oranges s'il vous plaît. |
| L'épicier | Oui. Je vous en mets combien? |
| La cliente | Deux kilos. Donnez-moi aussi de l'ail et du persil. |
| L'épicier | Ce sera tout? |
| La cliente | Non. Je vais prendre de la farine. |
| L'épicier | Un kilo? |
| La cliente | Non, 500 grammes. |
| L'épicier | Voilà. |
| La cliente | Qu'est-ce que vous avez comme vin blanc? |
| L'épicier | Du doux et du sec. |

**Activité 43**

Here is the dialogue that you can hear on the tape:

**Dans la cuisine de Claudie**

| | |
|---|---|
| Yves | Pourquoi tu mets du lait dans ta pâte à crêpes? |
| Claudie | Parce qu'il faut mettre du lait dans la pâte à crêpes! |
| Yves | Mais non! |
| Claudie | Si si si! C'est meilleur! |
| Yves | Et tu as mis de l'huile dans la poêle??? |
| Claudie | Il faut mettre de l'huile dans la poêle! |
| Yves | Il faut pas de l'huile, il faut du beurre! |
| Claudie | [exaspérée] Oh là là! |

**Activité 44**

The missing words are in bold:

1 Geneviève est obligée de penser à son **régime**.
2 Mathilde demande l'opinion de Geneviève sur le **restaurant**.
3 Mathilde aime le cadre, mais trouve que les prix sont **excessifs**.
4 Geneviève décide de prendre le dessert le moins **cher**.
5 C'est son père qui est au **téléphone**.
6 Soudain, Geneviève a très **peur**.
7 Son père téléphone partout depuis une **heure**.
8 Geneviève doit aller tout de suite chez ses **grands-parents**.

## Activité 45

| | |
|---|---|
| Gérard | La vue est impressionnante, je suis tenté… Mais le prix est un peu excessif. |
| Son père | Alors, qu'est-ce que tu vas faire? |
| Gérard | Je ne sais pas. Qu'est-ce que tu penses de la maison? |
| Son père | Personnellement, je trouve qu'elle est très belle, mais tu as raison, elle est chère. |
| Gérard | Je crois qu'il y a une autre maison à vendre, à côté d'ici. C'est à droite, tout de suite après le pont. |
| Son père | Elle est beaucoup moins chère? |
| Gérard | Oui. Nous pouvons aller la voir ensemble, si tu veux. |

## Activité 46

1 Her brother in law, Pascal, has a very important meeting. Geneviève is needed to look after the children.

2 She thought her grandmother was ill, not her sister, Colette.

## Activité 47

1 (h), 2 (b), 3 (c), 4 (f), 5 (h), 6 (d), 7 (h), 8 (d), 9 (a), 10 (e)

## Activité 49

If you ticked each box you were quite right: yes, *l'Agence Nationale pour l'Emploi* will help all of these people.

## Activité 51

1 She put it down to eating too much the day before.

2 They all ate the same food.

## Activité 52

10, 4, 2, 9, 7, 1, 6, 3, 11, 5, 8

## Activité 53

The missing prepositions are given in bold:

1 Colette et sa mère veulent aider la grand-mère **à** tout ranger.

2 Colette se sent mal mais elle ne s'arrête pas **de** travailler.

3 C'est une personne active, elle a toujours besoin **de** s'occuper.

4 Mais elle continue **à** avoir mal à la tête. (*continuer de* is also possible)

5 Elle commence même **à** vomir.

6 Sa mère lui dit d'essayer **de** prendre un peu d'eau.

7 Mais Colette refuse **de** boire.

## Activité 54

1 Tu peux aider ta grand-mère à trouver ses lunettes?

2 M. Leroux, vous devez essayer de manger moins et vous devez commencer à faire du sport.

3 Arrêtez de parler de votre santé! C'est énervant!

4 Vous avez besoin de prendre tous ces médicaments?

**Activité 55**

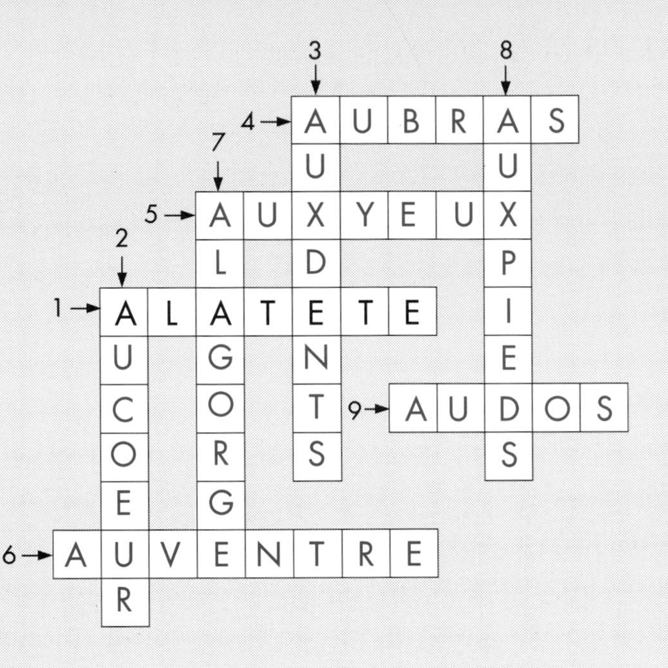


**Activité 56**

2 Here is what the doctor said:

– Elle a pris sa température? Elle a de la fièvre?
– Bien. Et est-ce qu'elle a mal au ventre?
– Quels sont les autres symptômes?
– Qu'est-ce qu'elle a mangé hier?
– Bon, écoutez, je vais passer. Donnez-lui à boire de l'eau, mais c'est tout.

**Activité 57**

1 It was just a ruse to keep Édouard at home (out of Mathilde's clutches).
2 That Colette has been poisoned by the chocolates.

**Activité 58**

1 Faux. Colette est dans la chambre.
2 Faux. C'est Colette qui ne va pas bien du tout.
3 Vrai.
4 Vrai.
5 Vrai.
6 Faux. C'est Clément qui veux manger des chocolats.
7 Faux. La boîte est presque vide.
8 Faux. La grand-mère n'a pas touché aux chocolats.
9 Vrai.

**Activité 59**

These are the dialogues on your cassette:

| | |
|---|---|
| Geneviève | Tu as l'air en parfaite santé. Tu vas mieux? |
| Lucienne | Beaucoup mieux, merci. |
| Pascal | Geneviève, jette un coup d'œil aux jumeaux. |
| Geneviève | Ça va. Chacun joue gentiment de son côté. |
| Édouard | Tu as tout mangé? Quelle gourmande! |
| Lucienne | Mais pas du tout! Je n'ai pas touché à la boîte. |

**Activité 60**

1 There was not enough water to drive the mill wheel.
2 He had started diverting the stream to drive the mill wheel more powerfully.
3 The rock was too hard for him to chip away at.
4 The miller will give his daughter in marriage, if the devil succeeds in diverting the stream before sunrise and the sound of the cockerel.
5 He had given the girl a ring as an engagement present.
6 She did not want to marry the devil.
7 The extraordinary light reflected from her ring via the candle.
8 She persuaded the cockerel that it was daylight, by the light of the ring and the candle, and the cockerel began to sing before the devil had finished.

**Activité 61**

Donc le diable, ayant entendu le meunier se plaindre, il lui dit: 'On va faire un marché. Si tu me donnes ta fille en mariage, moi je détourne le ruisseau pour toi, c'est un petit travail pour moi qui me prendra à peine une nuit.'

**Activité 62**

(a) Un bon vin se fait en un an.
(c) Prends ton temps.
(d) L'ambulance emporte André.
(e) Je plains son oncle et sa tante: ils sont sans un sou.
(f) Je sens encore le parfum du thym dans les montagnes de Provence.

**Activité 63**

1 (d), (b), (e), (c), (a)
2 (a) They were very much in love and they lived together.
(b) They were students and didn't have a lot of money.
(c) She was beautiful and came from a well-off family.
(d) He started seeing her secretly.
(e) She bought a beautiful diamond ring and told Mathilde that Édouard had given it to her as an engagement present.
(f) He only found out about it years later when Lucienne told him the whole story.

**Activité 65** You could choose any of the sentences below:

| *Lasting state of affairs* | *Completed event* |
|---|---|
| Nous **étions** très amoureux | Lucienne **est arrivée** |
| Nous **vivions** ensemble | J'**ai commencé** à la voir |
| C'**était** dur | Ta grand-mère **a eu** une idée |
| Nous **étions** étudiants | Elle **a acheté** une bague |
| Nous n'**avions** pas d'argent | Elle l'**a montrée** à Mathilde |
| Elle **était** belle | Elle lui **a dit**… |
| Elle **venait** d'une famille aisée | Mathilde **est partie** le lendemain |
| pendant que je **dormais** | Je ne l'**ai** plus jamais **revue** |
| | Ta grand-mère m'**a** tout **raconté** |

**Activité 66**

1 Mathilde
2 le présentateur
3 le docteur
4 Édouard
5 Colette
6 Édouard
7 le président de la République
8 Geneviève
9 Geneviève et Édouard

**Activité 68**

1 Je pourrais vendre ma maison.
2 Ça pourrait être la solution.
3 Nous pourrions aller au parc s'il fait beau demain.
4 Si vous voulez un meilleur salaire vous pourriez aller à l'ANPE.

**Activité 69** These are the dialogues recorded on your cassette:

1 Je viens vers huit heures du soir, ça vous va?
Vous pourriez venir un peu plus tôt?
2 Votre chambre ne vous satisfait pas?
Non. Vous pourriez me donner une chambre plus grande?
3 Vous désirez?
Vous pourriez me donner un café?
4 Vous avez froid?
Oui. Vous pourriez fermer la fenêtre?

## Activité 70

1 It is serious enough for the Hunters to be ready to fire at the Greens.

2 Like him, they are country people who know and respect nature; the Greens are city-dwellers.

## Activité 71

The words you should have completed are in bold:

> Dans le **département** de la Creuse, deux **partis** s'opposent: les **écologistes**, qu'on appelle aussi les Verts, et les **Chasseurs**. D'après M. Ratelade, les premiers sont souvent des **citadins** qui ne connaissent pas suffisamment le **milieu** naturel. Les seconds savent respecter la nature parce que ce sont les **habitants** d'une zone **rurale**. Ces deux **partis** sont à égalité sur le plan **électoral**: ils **représentent** chacun environ 8% des électeurs.

## Activité 72

1 Geneviève's telephone is ringing.

2 It could be a bad connection (Mathilde is calling from Paris), the old lady's voice may be shaky with anxiety, and she didn't expect her to call.

3 Because Geneviève has accused her of having put poison in the chocolates to get rid of her grandmother.

4 Because she tells Geneviève that in fact the chocolates had originally been given to her.

## Activité 73

| | *Texte* |
|---|---|
| 1 Apology | Excusez-moi de vous appeler si tard |
| 2 Urgency<br>(2 possibilities) | C'est très important<br>d'urgence |
| 3 Necessity | J'ai été obligée de rentrer |
| 4 Anger | Je suis indignée |
| 5 Accusation<br>(2 possibilities) | C'est vous qui avez mis du poison<br>Vous vouliez vous débarrasser de grand-mère |
| 6 Denial<br>(2 possibilities) | Quelle idée, mon Dieu!<br>Ce n'est pas possible, voyons! |

## Activité 74

This is the dialogue on your cassette:

La mère Allô?

Vous Excusez-moi de vous appeler si tard…

La mère Qu'est-ce que vous voulez?

| | |
|---|---|
| Vous | Je dois parler d'urgence à Thérèse. |
| La mère | Elle n'est pas là. Elle est chez son copain. |
| Vous | J'ai téléphoné, mais il n'y avait personne. |
| La mère | Eh bien, rappelez demain. |
| Vous | Vous pourriez prendre un message? |
| La mère | Oh, écoutez, je dormais, rappelez demain. |
| Vous | Oh s'il vous plaît, c'est très important... |

## Activité 75

(a) d'abord

(b) il y a une heure

(c) si tard

(d) à ce moment-là

(e) jusqu'à demain matin

(f) tout de suite

(g) ensuite

## Activité 76

1 Apparently, she doesn't think much of her. Lucienne doesn't deserve more than a second-hand present!

2 That he was trying to poison his aunt to get at the inheritance, since Mathilde is now a rich widow.

3 Because first she wanted to make sure Lucienne didn't eat the chocolates.

## Activité 77

The words you should have completed are in bold:

Et Mathilde **raconte**: 'J'ai une confession à vous faire, **tout d'abord**. Cette **fameuse** boîte de chocolats, je ne l'ai pas achetée pour votre grand-mère... La bouteille de champagne que j'ai apportée, je l'ai **choisie** spécialement pour Édouard. Mais pour Lucienne j'ai **pris** cette boîte que j'avais dans mon **placard**, c'était un **cadeau** de Noël de mon neveu, enfin, du neveu de mon **pauvre** mari. Je n'aime que les très **bons** chocolats, et Chocos Chouette, ce n'est pas de la trés **bonne** qualité... Je me suis dit: "Ça **suffit** pour Lucienne!" '

J'interromps: 'Mais alors, Mathilde, c'est votre **neveu** qui a mis du **poison** dans les chocolats! Avez-vous **déjà** contacté la police?'

'Non', répond-elle, 'je voulais **avant tout** empêcher votre grand-mère **de** manger les chocolats...'

## Activité 79

1 Il fait beau.

2 Ses filles et sa chienne l'accompagnent.

3 Pour observer les oiseaux.

4 C'est l'étang Tête de Bœuf.
5 Il ne faut pas faire de bruit.
6 L'oiseau apprend à nager à ses petits.
7 Parce qu'elle nage sur le dos et... elle fait sa toilette comme les humains!
8 'C'était magnifique'.

**Activité 80**

1 The names are in bold:

(a) **Mathilde** a acheté une maison.

(b) **Mathilde**, **Édouard** et **Geneviève** se promènent souvent dans la campagne.

(c) **Édouard** et **Mathilde** font beaucoup de dessins pendant ces promenades.

(d) **Lucienne** ne les accompagne jamais.

(e) **Édouard** et **Mathilde** se rappellent leur vie d'étudiants.

(f) **Le neveu de Mathilde** est en prison.

**Activité 82**

The missing words are in bold:

1 Les promenades **que** nous faisons le dimanche sont fabuleuses.
2 C'est la région **que** je préfère pour prendre des photos.
3 Mon frère, **qui** aime beaucoup dessiner, emporte toujours un carnet et des crayons.
4 Ma chienne, **qui** nous suit, fait quelque fois peur aux oiseaux.
5 Au retour, c'est mon frère **qui** fait le café et c'est moi **qui** prépare les tartines de confiture.
6 C'est une habitude **que** nous avons gardée de notre enfance.

**Activité 83**

Here are some of the expressions you might have found in the interview and story:

(a) j'aime beaucoup marcher
(b) je fais beaucoup de marche à pied
(c) j'aime beaucoup aller le long des étangs
(d) (j'aime beaucoup) observer les oiseaux
(e) nous aimons beaucoup marcher
(f) je prends beaucoup de photos
(g) (ils) emportent toujours un carnet et des crayons en promenade

## Activité 84

| | 1 | 2 | 3 | 4 | 5 | 6 | 7 | 8 | 9 | 10 | 11 | 12 | 13 | 14 | 15 | 16 |
|---|---|---|---|---|---|---|---|---|---|---|---|---|---|---|---|---|
| 1 | | | | A | M | I | E | | | G | | C | O | M | M | E |
| 2 | | | B | | E | | | V | | A | | O | I | E | | |
| 3 | R | | R | E | N | S | E | I | G | N | E | M | E | N | T | S |
| 4 | E | | U | | T | E | | T | O | T | | M | | S | A | |
| 5 | T | H | Y | M | | | P | E | U | | C | I | | O | | |
| 6 | A | | A | | | | | | R | | | S | A | N | T | E |
| 7 | R | | N | | | C | H | E | M | I | N | S | | G | | T |
| 8 | D | | T | | M | | | T | A | | | A | G | E | | E |
| 9 | | D | E | V | A | N | T | | N | | | R | | | | |
| 10 | | | | E | | | A | D | D | I | T | I | O | N | | C |
| 11 | | V | E | U | F | | | | E | | | A | | | S | A |
| 12 | T | E | | V | E | R | T | S | | C | I | T | A | D | I | N |
| 13 | A | I | M | E | R | | | E | | R | | | | E | | A |
| 14 | | L | | | M | E | I | L | L | E | U | R | | N | | R |
| 15 | E | L | E | V | E | | | | | M | | | | T | | D |
| 16 | N | E | | A | | | J | U | M | E | L | L | E | S | | S |

# *Nicotine et vieilles amours*

## Premier chapitre

### Anniversaire de mariage

Mes grands-parents aiment bien raconter pourquoi ils ont choisi le vingt-et-un juillet pour se marier. Imaginez les années trente: ils ont une vingtaine d'années, ils font connaissance à l'École des Beaux-Arts. Lui s'appelle Édouard Gomez, il est français, mais ses parents sont d'origine espagnole. Elle, c'est Lucienne Beauxchamps, et sa famille a toujours habité la Creuse. Ils découvrent avec surprise qu'ils sont nés le même jour, la même année. Quand, un an plus tard, ils décident de se marier, un de leurs amis, qui, comme mon grand-père, n'a pas beaucoup d'argent, dit pour plaisanter: 'Mariez-vous le jour de votre anniversaire, ça économise les cadeaux!'

Et voilà pourquoi aujourd'hui toute la famille réunie célèbre les quatre-vingt-quatre ans de ma grand-mère, les quatre-vingt-quatre ans de mon grand-père, et leurs soixante ans de mariage.

Il y a quatre générations autour de la table. Les deux extrêmes s'entendent très bien: mes grands-parents adorent les jumeaux de ma sœur cadette, deux petits diables de trois ans. Ils attendent tous les quatre avec impatience le moment de manger l'énorme gâteau d'anniversaire.

Mais ça ne va pas aussi bien entre mes parents et moi, ni entre mon oncle Fernand et ses deux fils, enfin, surtout Pierrot, l'aîné. Là, c'est le vrai conflit des générations...



## Deuxième chapitre

### Coup de sonnette imprévu

Ma mère voudrait que je me marie, et passe à l'offensive directe à chaque anniversaire de mariage (et il y en a six par an dans ma famille): 'Dix ans déjà... (ou quinze, ou trente... ou soixante). Comme ils sont heureux! Comme c'est beau, un mariage qui dure toutes ces années... '

Aujourd'hui, c'est: 'Colette a l'air si heureuse... les jumeaux sont tellement adorables!' Ah bon? Les petits chéris sont en train de faire des dessins sur la nappe blanche avec leurs doigts trempés dans la sauce du gigot. Colette a plutôt l'air complètement épuisée...

Heureusement, un coup de sonnette interrompt ma mère. Tout le monde se regarde: c'est dimanche, il est une heure de l'après-midi, et on n'attend personne, toute la famille est là. Ma sœur se lève pour aller ouvrir. Et nous restons tous là, intrigués, la fourchette à la main, et les yeux tournés vers la porte. Sauf bien sûr mon grand-père, qui continue à manger, parce qu'il n'a rien entendu, le pauvre.

## Troisième chapitre

### Une visite inattendue

Colette revient avec une vieille dame, bizarrement habillée pour la saison: elle porte une grande cape de laine écarlate et un bonnet assorti, de hautes bottes de cuir noir, une écharpe et des gants, noirs aussi. Elle a également des lunettes de soleil qui cachent une grande partie de son visage. Elle tient dans les bras une bouteille de champagne et une énorme boîte de chocolats. Elle sourit à tout le monde puis se précipite vers mes grands-parents:

'Édouard, bon anniversaire! Le champagne, c'est pour toi.' Elle se tourne vers ma grand-mère. 'Et les chocolats, c'est pour toi, Lucienne! Rien que pour toi!'

Comme tout le monde la regarde dans le silence le plus total, elle enlève ses lunettes. 'Excusez-moi, le soleil de la rue me fait mal aux yeux. Allons, vous ne me reconnaissez pas?'

Mon grand-père est un peu sourd, mais il a encore très bonne vue. Il se lève. 'Mon Dieu, Mathilde!' dit-il, 'Mathilde Anglade! Lucienne, c'est Mathilde, de l'École des Beaux-Arts!'

'Mathilde Anglade, et puis Mathilde Heineger, ensuite Duchaussois et finalement Leroi-Darcy. Vous permettez?' Elle enlève ses gants, son bonnet, sa cape.

Ma grand-mère ne sourit pas. Elle reste assise.

## Quatrième chapitre

### Vue et confort

Deux heures après, Mathilde, qui pose beaucoup de questions, sait tout sur notre famille. Elle regarde sa montre. 'Bon, demain, je vous raconte ma vie. Je dois partir maintenant, et trouver un hôtel…'

Il y a une chambre d'amis vide chez mes grands-parents. Mais ma grand-mère ne dit rien.

'Vous pouvez rester chez nous, vous savez, il y a de la place' propose alors ma sœur, 'Nous habitons juste à côté d'ici'.

'C'est gentil, mais je préfère aller à l'hôtel. Les vieilles dames ont leurs habitudes, vous savez…' répond Mathilde. 'Est-ce que je peux téléphoner d'ici pour réserver? Quel hôtel recommandez-vous?'

'Ça dépend combien vous voulez payer' dit mon oncle. 'Il y a une petite pension pas chère pas loin d'ici, la première rue à gauche…'

'Non, non, non, j'ai l'habitude de prendre un quatre étoiles, au moins. J'ai besoin de calme ce soir, après le voyage. Et puis le matin quand je me lève, j'adore avoir une belle vue de mon balcon.

Colette se tourne vers son mari. 'Pascal, téléphone au Régence. C'est le meilleur hôtel de la région, non?'

'Je suis très frileuse, j'espère qu'il y a le chauffage central!'

'Au mois de juillet?!?' disent ensemble Pierrot et Jean-Luc.

'Eh bien alors, demandez s'ils peuvent mettre un radiateur électrique dans ma chambre, et beaucoup de couvertures sur le lit.'

## Cinquième chapitre

### Un mot illisible

Le lendemain matin mon grand-père me téléphone: 'Hier, avant de partir, Mathilde m'a dit: "Je voudrais bien voir le musée des Arts Déco. Tu peux venir avec moi?" et j'ai accepté. Mais ce matin ta grand-mère ne se sent pas très bien. Je ne peux pas sortir. Et Mathilde m'attend à l'hôtel. Geneviève, sois gentille. Tu veux bien aller au musée avec elle?'

Quand j'arrive à l'hôtel, la réceptionniste me dit: 'Mme Leroi-Darcy a attendu une demi-heure, et puis elle est partie. Elle a laissé ce mot.' L'écriture est difficile à comprendre. Je lis: 'Édouard, tu n'as pas changé. Tu es toujours… (deux mots illisibles). Je vais au… (encore illisible).' Je m'arrête de lire et je demande à la réceptionniste: 'Vous savez où elle est allée?' 'À l'Office du Tourisme' répond-elle.

## Sixième chapitre

### Mathilde se renseigne

En effet, je trouve Mathilde à l'Office du Tourisme. J'explique l'absence d'Édouard. 'Votre grand-mère est malade?' demande Mathilde. Elle rit: 'Elle a peut-être mangé trop de chocolats?'

Elle a devant elle une pile de brochures. Elle continue sa conversation avec l'employée: 'Et où se trouve le Parc des Biches?' 'Juste derrière le château, Madame.' 'Et le château est ouvert quand? Vous avez dit qu'il est ouvert toute la journée?' 'Non, Madame. Seulement de neuf heures à midi et demi et de quatorze heures à dix-huit heures.'

Mathilde pose tellement de questions! Quand a lieu le festival de théâtre, quels sont les meilleurs restaurants, y a-t-il des concerts en plein air en été...? Finalement je lui demande: 'Mais Mathilde, vous restez combien de temps?'

Je suis très surprise par sa réponse: 'Je voudrais tout savoir sur la région, parce que je pense acheter une propriété dans le coin. Vous avez une voiture? Nous pouvons aller la voir ensemble, si vous voulez. Ce n'est pas loin. L'agence de Paris m'a donné un plan: trois kilomètres après la sortie sud de la ville, on traverse la rivière et c'est tout de suite à gauche. J'irai au musée cet après-midi.'

## Septième chapitre

### Une belle maison

Nous tournons à gauche après le pont mais nous ne trouvons rien. L'adresse donnée par l'agence dit 'Villa Les Marronniers, 76 route du Plateau de Gentioux'. Je m'arrête pour regarder le plan. 'Mais non, Mathilde, il faut tourner à droite, pas à gauche, faites attention, vous regardez la carte à l'envers.'

Quand nous trouvons enfin la maison, je suis surprise, car elle est très moderne, et entièrement meublée.

'Les propriétaires veulent la vendre le plus rapidement possible, et si je veux les meubles, je peux les garder' explique Mathilde.

Mais pourquoi veut-elle une maison si grande? Il y a un rez-de-chaussée et un étage. En haut, six chambres très claires, et deux salles de bains. En bas une vaste cuisine, une salle à manger immense, un salon encore plus grand, et une salle de jeux avec une table de ping-pong. Il y a aussi un joli jardin plein d'arbres et à l'arrière, un énorme garage.

## Huitième chapitre

### Des projets surprenants

'Bon, maintenant nous retournons en ville et je vous invite au restaurant' annonce Mathilde. 'Essayons *le Canard Joyeux*, d'accord? Dites-moi, qu'est-ce que vous pensez de la maison?'

Je réponds qu'elle est très belle, et que le jardin est magnifique. Mais pourquoi veut-elle une maison aussi grande?

Alors, Mathilde me dit soudain: 'Geneviève, je dois vous expliquer quelque chose. Je suis venue ici pour revoir votre grand-père. Quand nous étions étudiants nous étions très amis, vous comprenez? Et puis Lucienne est arrivée, et ils se sont mariés. Alors je suis partie, et je me suis mariée aussi. Plusieurs fois! Mais je n'ai jamais oublié votre grand-père. Maintenant je suis veuve. Je suis riche. J'achète une maison et je m'installe ici. Et un jour Édouard et moi nous serons de nouveau ensemble. Et toute la famille viendra habiter avec nous.'

Je suis tellement étonnée que je ne sais pas quoi dire. Finalement, je demande: 'Eh bien, et ma grand-mère, Mathilde?'

'Mais tout peut arriver, Geneviève... tout peut arriver. Je suis capable d'attendre. D'ailleurs, je suis plus jeune que Lucienne. Je n'ai que quatre-vingt-deux ans.'

## Neuvième chapitre

### Au Canard Joyeux

Le maître d'hôtel nous donne une petite table au soleil, près de la fenêtre, et Mathilde commande tout de suite des apéritifs. Nous regardons la carte. Tout a l'air très bon! Mais je n'ai pas très faim... Je ne sais pas pourquoi, je suis vaguement inquiète. Cette vieille dame est vraiment bizarre. 'Tout peut arriver.' Que veut-elle dire?

'Que voulez-vous comme entrée?' demande-t-elle. 'Moi je vais prendre le pâté de canard.' Je choisis les crudités, parce que je suis au régime. Nous commandons toutes les deux le plat du jour, la poitrine de volaille à la sauce Canard Joyeux, accompagnée de légumes frais pour moi et de pommes frites pour elle.

'Et comme boissons?' demande le garçon. Je prends une eau minérale gazeuse, mais Mathilde préfère un bon vin blanc bien sec.

Le maître d'hôtel vient demander si tout va bien. 'La sauce est délicieuse' dit Mathilde, 'Comment la faites-vous?'

Il explique: 'Principalement avec de la crème fraîche, du poivre rose et du thym. Il y a d'autres ingrédients, mais c'est un secret du chef!'

## Dixième chapitre

### Départ précipité

La carte des desserts est impressionnante. Je suis très tentée par la crème caramel, le gâteau aux amandes, les profiteroles au chocolat... Mais je dois penser à mon régime... Le sorbet au citron, peut-être?

'Qu'est-ce que vous allez prendre comme dessert?' demande Mathilde. 'Et que pensez-vous du restaurant? Personnellement je trouve que la qualité n'est pas mauvaise, mais les portions ne sont vraiment pas très généreuses. Le cadre est joli, mais les prix sont un peu excessifs. Vous ne trouvez pas?'

Je décide donc de prendre le dessert le moins cher... A ce moment-là, le garçon s'approche de notre table. 'Vous êtes bien Mademoiselle Leroux? Votre père vous demande au téléphone. C'est urgent, je crois qu'il y a quelqu'un de votre famille qui n'est pas bien.' Je regarde Mathilde. Elle porte ses lunettes noires et je ne vois pas ses yeux. J'ai soudain très peur.

Mon père m'explique qu'il téléphone partout depuis une heure pour me trouver. L'hôtel Régence, puis le Syndicat d'Initiative, où l'employée se souvient heureusement des restaurants recommandés à Mathilde.

'C'est grand-mère, n'est-ce pas, papa? Quelque chose est arrivé?'

'Écoute,' dit-il, 'je n'ai pas le temps de t'expliquer, viens tout de suite. Nous sommes tous chez tes grands-parents.'



## Onzième chapitre

### Fièvre et piqûres

Quand j'arrive chez mes grands-parents, c'est mon beau-frère qui ouvre la porte. Tout de suite, je lui demande 'Qu'est-ce qu'elle a, Pascal? C'est grave? Le docteur est là?'

Il répond qu'elle ne va pas bien du tout, elle a beaucoup de fièvre, le docteur est venu ce matin, il a recommandé des piqûres, donc l'infirmière est venue aussi, mais ça ne va pas mieux.

'Geneviève, je pars à deux heures de l'après-midi pour Lyon, j'ai une réunion archi-importante, je ne peux pas rester. Est-ce que tu peux t'occuper des jumeaux? Tu es en vacances, toi, en ce moment.'

Pascal, qui est directeur régional pour les hypermarchés Lebon, pense toujours que les professeurs du secondaire ont beaucoup trop de vacances... Comme je n'ai pas spécialement envie de garder Nicolas et Clément, je lui dis: 'Mais non, Pascal, je peux très bien m'occuper de grand-mère, et Colette peut rentrer à la maison et rester avec les jumeaux.'

Pascal est stupéfait. 'Mais qu'est-ce que tu racontes? C'est ta sœur qui est malade, pas ta grand-mère.'

## Douzième chapitre

### Une indigestion?

Pascal explique la situation: 'Ta mère et ta sœur arrivent ici ce matin pour aider Lucienne à tout ranger, après la fête d'hier. Colette ne se sent pas très bien, elle dit qu'elle a mal à la tête et mal au cœur. Mais elle ne s'arrête pas de travailler... tu connais ta sœur. Elle a besoin de s'occuper. Elle pense que c'est seulement une indigestion, parce qu'elle a trop mangé hier. Mais deux heures après elle continue à avoir mal à la tête, elle a mal au ventre, et elle commence à vomir. Elle prend sa température: elle a une forte fièvre. On appelle le médecin, et la première chose qu'il demande c'est: 'Qu'est-ce que vous avez mangé hier?' Ta mère explique que nous avons tous mangé exactement la même chose, et ta sœur est la seule malade.'

Mon beau-frère me regarde. 'Tu vas bien, toi, n'est-ce pas? Tu es toute pâle…'

J'entre dans la chambre où se trouve ma sœur. Ma mère tient un verre à la main. Elle dit à Colette: 'Allez, essaie de prendre un peu d'eau', mais Colette refuse de boire.

## Treizième chapitre

### Découverte

Le reste de la famille est dans la cuisine. Ma grand-mère a l'air en parfaite santé. Je lui demande: 'Tu vas mieux? Grand-père m'a dit que tu étais malade ce matin?'. 'Beaucoup mieux, merci' répond-elle. Elle jette un coup d'œil à son mari qui est en train de jouer avec les jumeaux, puis murmure dans mon oreille: 'Cette abominable vieille femme! Elle voulait être seule avec Édouard! Aller au musée, tu penses, c'était une excuse, oui! Alors j'ai dit à Édouard que j'étais malade et qu'il devait rester à la maison.'

Soudain, elle s'interrompt: 'Clément! Arrête!' Un des jumeaux, monté sur une chaise, essaie d'attraper la fameuse boîte de chocolats de Mathilde, qui est posée sur le frigo. 'Geneviève, passe-moi cette boîte, je vais la mettre dans le buffet.'

Je prends la boîte. Elle est très légère. Je l'ouvre, par curiosité. Elle est presque vide.

Mon grand-père se met à rire. 'Lucienne, tu as tout mangé? Tu n'as pas laissé de chocolats pour les enfants? Quelle gourmande!'

'Mais pas du tout', répond ma grand-mère. 'Je n'ai pas touché à la boîte. C'est Colette qui mangeait les chocolats, ce matin, pendant qu'elle rangeait la cuisine.'

Nous nous regardons tous.

## Quatorzième chapitre

### La bague de fiançailles

Nous emmenons immédiatement Colette à l'hôpital, où ils font une analyse des chocolats, qui révèle qu'ils contiennent de la nicotine. Cela explique les symptômes éprouvés par ma sœur. Elle reçoit enfin les soins nécessaires, et son état s'améliore.

Pendant un moment où nous sommes seuls, dans la salle d'attente, je raconte à mon grand-père ma conversation avec Mathilde.

Il me regarde, puis dit: 'Geneviève, je sais ce que tu penses. Mais tu ne connais pas toute l'histoire... C'est ma faute, tout ça. Moi et Mathilde nous étions très amoureux, nous vivions ensemble, mais c'était dur, nous étions étudiants, nous n'avions pas d'argent... Et puis Lucienne est arrivée, elle était belle, elle venait d'une famille aisée... J'ai commencé à la voir en cachette. Tu connais ta grand-mère, elle est très maligne, aussi. Un jour elle a eu une idée: elle a acheté une bague, avec un très beau diamant. Un soir, elle l'a montrée à Mathilde et lui a dit que je lui avais donné cette bague, en guise de cadeau de fiançailles. Mathilde, désespérée, est partie le lendemain, au lever du jour, pendant que je dormais, et je ne l'ai plus jamais revue. Quelques années plus tard, ta grand-mère m'a tout raconté.'

## Quinzième chapitre

### Bulletin d'informations

À ce moment-là, le médecin vient nous dire: 'Il faut immédiatement appeler la police. Colette a une constitution robuste, mais si d'autres boîtes sont en circulation, elles pourraient causer la mort d'un enfant ou d'une personne âgée. Il faut passer une annonce dans les médias, pour prévenir le public.'

'Mathilde a voulu m'assassiner!' nous dit ma grand-mère, 'Cette femme est complètement folle!' Mais mon grand-père n'est pas d'accord. Il ne veut pas dire à la police d'où vient la boîte de chocolats. Il veut parler à Mathilde d'abord.

Seulement voilà, quand nous arrivons tous les deux au Régence, Mathilde est partie. 'Attendons au moins jusqu'à demain matin pour parler à la police' dit mon grand-père.

Je le ramène chez lui, et dans la voiture nous écoutons ensemble le bulletin d'informations. Il commence par la rencontre au sommet du président de la République et des chefs d'États africains. Nous entendons ensuite un reportage sur les nouveaux essais de vaccin anti-sida. Puis, voilà enfin le communiqué que nous attendons: 'Toute personne possédant une boîte de chocolats 'Chocos Chouette' est priée de contacter immédiatement la police. La consommation de ces chocolats pourrait être extrêmement dangereuse.' Le présentateur continue avec la météo, 'Demain, beau temps sur toute la France. Les températures ...', mais mon grand-père éteint la radio. Il a l'air très malheureux.

# Seizième chapitre

## Indignation mutuelle

Quand j'arrive chez moi, le téléphone est en train de sonner. 'Geneviève, excusez-moi de vous appeler si tard, mais c'est très important.' Je ne reconnais pas tout de suite la voix de Mathilde. 'J'ai été obligée de rentrer d'urgence à Paris pour mes affaires. Les chocolats que j'ai donnés à votre grand-mère... j'ai entendu un communiqué à la radio. Il ne faut pas qu'elle en mange! J'ai téléphoné il y a une heure chez vos grands-parents, mais il n'y avait personne.'

Je suis indignée: 'Mathilde, c'est vous qui avez mis du poison dans les chocolats! Vous vouliez vous débarrasser de grand-mère!'

Mais la vieille dame s'exclame: 'Me débarrasser de votre grand-mère! Mais non, Geneviève, quelle idée, mon Dieu! Du poison? Dans mes chocolats? Ce n'est pas possible, voyons! Du poison... Mais attendez... attendez... ces chocolats, ils étaient pour moi... Oh là là... Oh là là là là... Je vais tout vous raconter...'

# Dix-septième chapitre

## Le vrai coupable

Et Mathilde raconte: 'J'ai une confession à vous faire, tout d'abord. Cette fameuse boîte de chocolats, je ne l'ai pas achetée pour votre grand-mère... La bouteille de champagne que j'ai apportée, je l'ai choisie spécialement pour Édouard. Mais pour Lucienne j'ai pris cette boîte que j'avais dans mon placard, c'était un cadeau de Noël de mon neveu, enfin, du neveu de mon pauvre mari. Je n'aime que les très bons chocolats, et Chocos Chouette, ce n'est pas de la très bonne qualité... Je me suis dit: "Ça suffit pour Lucienne!" '

J'interromps: 'Mais alors, Mathilde, c'est votre neveu qui a mis du poison dans les chocolats! Avez-vous déjà contacté la police?'

'Non,' répond-elle, 'je voulais avant tout empêcher votre grand-mère de manger les chocolats...'

# Dix-huitième chapitre

## Épilogue

Le neveu de Mathilde est maintenant en prison. Il aurait probablement réussi à se débarrasser de Mathilde, et à hériter de la fortune de son oncle... Il avait utilisé de l'insecticide qui contenait de la nicotine. Mais, heureusement pour la vieille dame, il avait choisi des chocolats trop bon marché!

Mathilde a acheté la maison et elle est venue y vivre. Nous allons souvent la voir, mon grand-père et moi. Nous aimons beaucoup marcher, tous les trois, et nous passons des journées extraordinaires au bord des étangs de la région. Il y a des choses fabuleuses à voir, et je prends beaucoup de photos. Mathilde et mon grand-père emportent toujours un carnet et des crayons en promenade, une habitude qu'ils ont gardée des Beaux-Arts. Au retour, ils comparent leurs dessins et se rappellent les anecdotes de leur vie d'étudiants. Ma grand-mère ne vient jamais avec nous.

Quelquefois, Mathilde me dit: 'Tu vois, Geneviève, je sais attendre…' et elle sourit.

# Interviews

## La grande famille de Mme Rance

| | |
|---|---|
| Nadine | C'est le mariage de votre premier petit-fils? |
| Mme Rance | Oui, c'est le troisième mariage de mes petits-fils mais c'est mon aîné, celui-ci. |
| Nadine | Ah, vous avez combien d'enfants? |
| Mme Rance | J'ai quatre filles, quatre filles… |
| Nadine | Alors combien de petits-enfants? |
| Mme Rance | Petits-enfants… six: trois filles et trois garçons. |
| Nadine | Alors, donc vous avez quatre filles. [quatre filles] Elles s'appellent comment? |
| Mme Rance | Alors Arlette… |
| Nadine | Arlette… |
| Mme Rance | Anne-Marie… |
| Nadine | Anne-Marie… |
| Mme Rance | Huguette et Marie-Claude. |
| Nadine | Hmmm, j'aime beaucoup Arlette. Et les petits-enfants? |
| Mme Rance | Alors les petits-enfants, l'aîné c'est Bruno, celui qui se marie aujourd'hui. Le second, c'est Frédérique, c'est une fille. |
| Nadine | Ah Frédérique, Q-U-E… à la fin, QUE. |
| Mme Rance | Au lieu de C. |
| Nadine | Au lieu de C pour un garçon, et Q-U-E. |
| Mme Rance | Pour une fille, c'est ça. Après c'est Philippe qui est né deux mois après Frédérique. C'est celui qui est dans les chemins de fer. Après j'ai que… Bruno je vous l'ai dit… il y a Catherine qui est la sœur de Bruno, qui est secrétaire, et il y a Sandrine, Sandrine qui s'est mariée au mois d'août l'année dernière… |
| Nadine | Et il y en a encore un? |
| Mme Rance | Ah mon Stéphane! |
| Nadine | Ah Stéphane! |
| Mme Rance | Mon Stéphane! C'est le retardataire… Il… Ma fille avait trente-six ans quand elle l'a eu… |

## Un hôtel deux étoiles

| | |
|---|---|
| Nadine | Alors euh vous avez combien d'étoiles? |
| M. Chardonnet | Deux étoiles. Mon établissement a deux étoiles, c'est-à-dire ce qui correspond dans notre pays à un hôtel de bon standing. |
| Nadine | Ah oui. Alors, quelle est la différence entre un hôtel une étoile, et un hôtel deux étoiles? |
| M. Chardonnet | Eh ben… un hôtel une étoile, c'est un hôtel beaucoup plus simple. On n'est pas sûr de trouver tout ce qu'on trouve dans un hôtel deux étoiles. |
| Nadine | Par exemple? |
| M. Chardonnet | … beaucoup plus complet, par exemple les chambres avec sanitaires. Toutes les chambres un… une étoile, toutes les chambres ne sont pas équipées de sanitaires. [Hmm, hmm] C'est-à-dire, quand je dis sanitaires, bien entendu, il y a un lavabo ou un petit cabinet de toilette, mais il n'y a pas de salle de bains, ni de WC privés. |
| Nadine | Un cabinet de toilette, un cabinet de toilette, qu'est-ce que… en quoi ça consiste exactement? Qu'est-ce que c'est exactement? |
| M. Chardonnet | Un cabinet de toilette, c'est un lavabo et un bidet. |
| Nadine | Voilà, un lavabo et le bidet, oui, et c'est séparé dans la pièce, ce n'est pas… |
| M. Chardonnet | Oui, mais une étoile, ce n'est pas obligé d'être séparé. [Ah oui] Ça peut être à même la chambre… que dans deux étoiles, si vous avez un cabinet avec un lavabo et un bidet, vous avez automatiquement un cabinet de toilette fermé. [Hmm, hmm] Alors l'hôtel deux étoiles vous avez… vous trouverez beaucoup plus de confort, et puis y a aussi la catégorie des hôtels trois étoiles où, là, c'est le grand confort. |
| Nadine | Est-ce que vous essayez d'avoir trois étoiles? |
| M. Chardonnet | Non, parce que notre département n'est pas très approprié [Ah] pour avoir une clientèle trois étoiles. |
| Nadine | Il n'y a pas la demande. |
| M. Chardonnet | On n'a pas la demande et on… nous avons d'abord que deux établissements dans le département qui ont trois étoiles. |
| Nadine | Et il y en a combien avec deux étoiles dans le…? |

| | |
|---|---|
| M. Chardonnet | Euh… pour… euh en ce moment nous sommes en train de refaire tous les classements d'hôtels. Je pense qu'on doit avoir une vingtaine d'établissements deux étoiles à l'heure actuelle. |
| Nadine | Une vingtaine. Hmm hmm. |

## La bonne route

| | |
|---|---|
| Nadine | On a eu un petit problème. Je me suis perdue en route. |
| Mme Dumontant | Ce qui se passe c'est que les gens généralement prennent notre adresse sur le guide national des gîtes de France et prennent la commune. Et Saint-Pardoux-le-Neuf, donc où nous sommes, est situé en dehors de… comment on dit… en bordure de la nationale. |
| Nadine | En bordure de la nationale. |
| Mme Dumontant | Mais nous ne sommes pas du tout dans le bourg de Saint-Pardoux, [Non] nous sommes à l'extérieur. |
| Nadine | C'est ça. |
| Mme Dumontant | Donc tout de suite je leur dis, je leur explique: quand vous êtes à Aubusson vous prenez direction Clermont-Ferrand. Vous faites sept kilomètres et c'est un petit chemin qui descend à droite [Et c'est indiqué]. Et surtout surtout ne prenez pas Saint-Pardoux-le-Neuf! |
| Nadine | Oui, parce que c'est exactement ce que j'ai fait! |
| Mme Dumontant | Ce que vous avez fait. Je pensais vous l'avoir dit. |
| Nadine | Probablement, mais j'ai dû oublier. |
| Mme Dumontant | Et c'est vrai que… on est tenté de prendre Saint-Pardoux-le-Neuf deux ou trois fois, donc je leur explique surtout ne pas prendre Saint-Pardoux. Nous sommes sur la Nationale, un petit chemin à droite. |
| Nadine | Oui, vous avez un panneau 'Chambres d'hôtes'. C'est indiqué, n'est-ce pas? |
| Mme Dumontant | Oui c'est indiqué. Nous avons un grand panneau 'Chambres d'hôtes, à droite – 100 mètres'. En fait c'est très simple, mais on est tenté de prendre Saint-Pardoux qui est notre commune et il faut surtout pas le prendre. |
| Nadine | Et les gens se perdent souvent? |
| Mme Dumontant | Ça arrive, ça arrive malheureusement, ça arrive. |

| | |
|---|---|
| Nadine | Alors ils vous téléphonent et ils disent: 'Allô, Mme Dumontant, je suis perdu.' |
| Mme Dumontant | Oui oui, c'est vrai, c'est un peu ça: 'Je suis perdu, je suis à... à Saint-Pardoux mais euh je ne vois plus la... la route pour vous rejoindre', et... et je leur explique, d'autres personnes dans... dans le bourg de Saint-Pardoux leur expliquent, et ça se passe très bien après. |

## Les Creusois, les Parisiens et les Anglais

| | |
|---|---|
| Nadine | Alors, est-ce que... est-ce que vous trouvez qu'il y a des différences entre les différents clients, entre les clients parisiens, les clients de la Creuse et les clients anglais? Est-ce qu'ils ont une manière différente [Ah oui] de faire les affaires? |
| M. Petit | Tout à fait, tout à fait. Les clients parisiens, eux, veulent chercher souvent la bonne affaire, discutent beaucoup des prix. |
| Nadine | Des prix. [Et euh ils] cherchent les bas prix. |
| M. Petit | Les bas prix, mais tout en ayant un... un confort assez important... ce qui est, bon, c'est très difficile. On (ne) peut pas concilier les deux, avoir à la fois... avoir à la fois un (... un) confort et une... un prix tout à fait bas, c'est impossible. Les Anglais, eux, sont tout à fait différents. |
| Nadine | Vous avez raison, tout à fait raison. |
| M. Petit | Déjà quand on a un contact avec eux, c'est très agréable parce qu'ils adorent notre région et donc ils sont souvent ébahis donc par le paysage, et puis ensuite donc on leur montre les maisons, ils veulent des maisons donc, typiquement donc... |
| Nadine | Traditionnelles... |
| M. Petit | Traditionnelles, oui tout à fait, anciennes... euh |
| Nadine | À rénover... |
| M. Petit | À rénover, euh des pierres, ce qu'on appelle des pierres apparentes, c'est-à-dire qu'il n'y ait pas de crépi dessus, et ils veulent à l'intérieur que les poutres soient apparentes. |
| Nadine | Les poutres... |
| M. Petit | Les poutres, et qu'on ait des cheminées en pierre dans les maisons qui sont très... c'est très, très, très souvent le cas. Et alors, donc dès qu'on a à peu près ce genre de bâtiment, et bien écoutez, ils sont... ils sont...ils sont très |

| | |
|---|---|
| | contents. Et les clients parisiens pardon, les clients creusois, alors les clients creusois eux donc veulent principalement – ben, je reviens à ce que j'ai dit tout à l'heure: des maisons donc dans les bourgs, avec le confort. |
| Nadine | Plus pratiques... |
| M. Petit | Plus pratiques, voilà. Tout à fait, plus pratiques et tout ce qui est donc beauté du paysage, bon, ils le connaissent. Ils le parcourent tous les jours. C'est pas tellement ce qui les attire. |
| Nadine | C'est pas important. |
| M. Petit | Voilà. Non, le côté pratique surtout. |

## Le pâté de pommes de terre

| | |
|---|---|
| Nadine | Alors, on commence avec les pommes de terre. |
| Jean-Jacques | Les pommes de terre. |
| Nadine | Les pommes de terre. |
| Jean-Jacques | On va émincer les pommes de terre en rondelles. |
| Nadine | En petites rondelles. |
| Jean-Jacques | En petites rondelles très fines. |
| Nadine | Très très fines, oui. |
| Jean-Jacques | Voilà. |
| Nadine | Vous allez vite! |
| Jean-Jacques | Ah, il faut aller très vite, c'est une habitude surtout. |
| Nadine | Et les doigts? |
| Jean-Jacques | Oh même les yeux fermés. |
| Nadine | Ah non. |
| Jean-Jacques | Ah si! Vous voulez voir? |
| Nadine | Non, non, non, non, pas de démonstration! |
| Jean-Jacques | Si, si, si, si, si, si... regardez. |
| Nadine | Ah non! Incroyable. Fantastique, toutes aussi fines. Ouvrez les yeux, ouvrez les yeux! Alors combien de pommes de terre? |
| Jean-Jacques | Alors pour un pâté de pommes de terre pour dix personnes il faut compter un kilo cinq. |

| | |
|---|---|
| Nadine | Pour dix personnes un kilo cinq. |
| Jean-Jacques | Un kilo cinq. Alors après j'émince les oignons. |
| Nadine | Alors on coupe les oignons. |
| Jean-Jacques | Les oignons. Finement, pareil. |
| Nadine | Pareil. Alors combien d'oignons? |
| Jean-Jacques | Alors des oignons... il y a deux cents grammes d'oignons. |
| Nadine | Deux cents grammes d'oignons, toujours pour dix personnes. |
| Jean-Jacques | Toujours pour le pâté pour dix personnes. [Oui] Qu'on va émincer finement et qu'on va mélanger après avec les pommes de terre. |
| Nadine | Alors on mélange les oignons et les pommes de terre. |
| Jean-Jacques | Les oignons et les pommes de terre. Alors après je mets du sel, [oui] le poivre, pareil. |
| Nadine | Oui, un peu de poivre. |
| Jean-Jacques | Un petit peu de poivre. Ça donne un peu de parfum. Alors là, après je vais mettre ma persillade, mon ail et mon échalote. |
| Nadine | Alors c'est de l'ail... |
| Jean-Jacques | C'est de l'ail et de l'échalote. |
| Nadine | Alors maintenant c'est... oui: sel, poivre, ail, échalote, pommes de terre, oignons. |

## À quoi sert l'ANPE?

| | |
|---|---|
| Nadine | Alors qu'est-ce que vous faites dans la vie? |
| M. Damit | Eh bien, donc je travaille à l'ANPE. |
| Nadine | L'ANPE? Qu'est-ce que c'est? |
| M. Damit | L'ANPE, ça signifie Agence Nationale pour l'Emploi. [Hmm hmm] Alors donc, Agence Nationale parce que c'est un organisme qui dépend de l'État, c'est pas une entreprise privée, et d'autre part pour l'Emploi parce qu'elle est destinée à apporter des services principalement aux personnes qui sont au chômage, mais plus généralement à toutes les personnes qui ont besoin d'une aide, soit dans la recherche d'un emploi ou dans la préparation d'un emploi. C'est-à-dire, par exemple, apprendre un métier qu'on ne connaît pas avant de pouvoir l'exercer donc... |

Nadine | Les stages.

M. Damit | Voilà, les stages de formation, mais quand on dit Agence Nationale pour l'Emploi, c'est... ce n'est pas réduit aux personnes qui sont au chômage, ça peut euh apporter un service aussi aux personnes qui travaillent déjà, par exemple une personne qui travaille mais qui veut changer de métier, [Ah oui] qui veut changer de région, une personne qui a déjà un métier mais qui veut se perfectionner euh, acquérir une meilleure qualification, un meilleur salaire, un travail plus intéressant, bon... c'est aussi une des aides que l'on peut apporter.

Nadine | Alors qu'est-ce que vous faites exactement à l'ANPE?

M. Damit | Ah, à l'ANPE j'ai un... un... un travail qui n'est pas... pas très spécifique, pas très original puisque, bon ben là, ici je suis directeur donc, ben disons que je fais tourner la boutique.

## Le diable, le meunier et sa fille

Mme Taboury | Ce diable, que ce soit dans un cas comme dans l'autre est tombé amoureux de la fille du meunier. [Hmm hmm] Le meunier avait donc son moulin sur le bord de la rivière. Et il avait une très belle fille et le diable était tombé amoureux de la fille du meunier. [Oui] Et le meunier parallèlement avait beaucoup d'ennuis parce que... il n'y avait plus assez d'eau pour faire tourner la roue du moulin. Donc il avait commencé à détourner le ruisseau pour que l'eau vienne encore plus fort sur sa roue de moulin. Mais c'était un travail énorme surtout dans une région comme la nôtre où il y a beaucoup de granite, où la terre est très dure, où il faut piocher dans le rocher, et ce pauvre meunier était désespéré parce qu'il n'y arrivait pas.

Donc le diable ayant entendu le meunier se plaindre il lui dit 'On va faire un marché. Si tu me donnes ta fille en mariage, [je t'aide, oui] moi je détourne le ruisseau pour toi, c'est un petit travail pour moi qui me prendra à peine une nuit'.

Alors le meunier un peu désespéré, mais il fallait bien qu'il finisse par détourner ce ruisseau, fait le marché avec le... avec le diable et il lui dit 'Tape là, si tu réussis à détourner le ruisseau avant le lever du soleil et donc avant le chant du coq, puisque le coq chante lorsque le soleil se lève, je te donne ma fille en mariage'.

Alors le diable, fou de joie, se met à travailler comme un malade, remue les rochers, etc etc, et malgré tout, avant de, de, de commencer ce travail il était tellement sûr de lui qu'il avait donné un très beau bijou à la fille du meunier en guise de fiançailles, de cadeau de fiançailles, un très beau diamant.

Alors la fille du meunier entendait le bruit des rochers, le bruit du martèlement du cheval du, du diable sur les rochers, et était bien sûr très ennuyée parce qu'elle ne voulait pas se marier avec le diable. Et comme toutes les filles creusoises elle était aussi très maligne. [Ah, ah, très maligne] Elle était là en train de se désespérer au bord de la table, elle était assise au bord de la table avec la, la chandelle qui l'aidait à passer cette nuit épouvantable, et le reflet de la chandelle dans sa bague envoyait des éclats de lumière extraordinaires, tellement cette bague était belle et était pure.

Et à ce moment-là la fille du meunier eut une idée. Elle partit dans le poulailler avec la bougie, la chandelle et sa bague et elle se mit à côté du coq. Et le coq, un peu étourdi par cette espèce de lumière extraordinaire que faisait le... la lueur de la bougie sur la bague, crut que c'était le lever du jour et se mit à chanter, alors que bien sûr il faisait encore nuit.

Et comme le coq avait chanté et que le diable n'avait pas fini son travail, il restait juste une pierre, une dernière pierre mais elle n'était pas encore déplacée, le meunier malgré tout réussit à finir le travail tout seul et le diable ne put pas épouser la fille du meunier.



| | |
|---|---|
| Nadine | Et le diable a perdu. |
| Mme Taboury | Et le diable avait perdu. |
| Nadine | Une très belle histoire, une très belle histoire. |

## Les Verts et les Chasseurs

| | |
|---|---|
| Nadine | Et les Verts, quelle est l'importance du parti écologiste, les Verts en... en, Creuse, à Aubusson? |
| M. Ratelade | Les Verts existent. Ils sont bien là. Ils sont à huit ou neuf pour cent dans ce département mais je dois dire que si les Verts existent les Chasseurs existent aussi. |
| Nadine | Les Chasseurs. |
| M. Ratelade | J'ai un peu l'impression que les Chasseurs seraient prêts dans ce département à tirer sur les Verts et comme ils sont |

| | |
|---|---|
| | à peu près de même poids sur le plan électoral, c'est-à-dire qu'ils représentent à peu près sept à neuf pour cent... |
| Nadine | Il y a un parti des Chasseurs, un parti politique? |
| M. Ratelade | Il y a ici... tout à fait, d'ailleurs le parti des Chasseurs est représenté au Conseil Régional du Limousin puisque nous avons un Conseiller Régional du Limousin qui a été élu sur une liste qui s'appelait 'Chasse, Pêche, Nature, Tradition' et qui... |
| Nadine | Chasse? [Et qui est un président] Vous pouvez répéter? Chasse... |
| M. Ratelade | Chasse, Pêche, Nature, Tradition. Et j'avoue très sincèrement que j'ai une version beaucoup plus proche des Chasseurs que des Verts en tant qu'habitant d'une zone rurale, il est vrai que les Chasseurs sont des gens qui d'ordinaire respectent certainement de façon constante la nature parce qu'ils vivent cette nature, alors que les écologistes bien souvent malheureusement sont plutôt des citadins [Voilà] qui connaissent mal le milieu naturel. |

## Une amoureuse de la nature

| | |
|---|---|
| Nadine | Qu'est-ce que vous faites en général le dimanche? |
| Mme Taboury | Alors le dimanche en général je me promène. |
| Nadine | Euh s'il fait beau... |
| Mme Taboury | S'il fait beau. J'aime beaucoup marcher, je fais beaucoup de marche à pied avec mes filles, avec ma chienne. J'aime beaucoup aller le long des étangs, observer les oiseaux en particulier avec des jumelles. Il y a quinze jours j'ai passé un après-midi extraordinaire au bord d'un étang qui s'appelle l'étang Tête de Bœuf, et à cette période il y a tous les petits oiseaux qui viennent de... de naître et il faut faire très peu de bruit, il faut rester pendant très longtemps sans faire de bruit, mais on a vraiment des choses, sous les yeux, fabuleuses. Il y avait un oiseau qui s'appelle notamment la grèbe*, avec un grand cou blanc et des... des plumes en houppette noire sur la tête, qui apprenait... un couple de grèbes qui apprenaient à nager aux petits.<br><br>Alors c'était formidable parce qu'il y avait bien sûr le vilain petit canard qui ne suivait jamais les autres qui partait toujours de son côté. Bon alors, la... le papa allait le chercher, et puis à un moment donné j'ai été très surprise |

*The name of this bird is usually masculine: *le grèbe*.

de voir une loutre qui nageait dans... dans... dans cet étang, qui est un très bel étang, et c'est très amusant une loutre parce que ça nage et puis à un moment donné ça se met sur le dos, ça fait la planche et puis ça arrive sur le bord et puis ça refait sa petite toilette, alors avec ses deux petites pattes elle se nettoyait les moustaches, les oreilles, elle se faisait le poil etc. Et il y avait beaucoup de hérons également, des hérons cendrés, des hérons, des hérons pourpres qui nourrissaient leurs petites familles dans les roseaux. Donc il y avait un vol extraordinaire de ces papas et ces mamans hérons qui allaient et qui venaient. C'était, c'était magnifique.

# Les mots et les expressions

## Section 1

### Anniversaire de mariage

*aiment bien raconter* enjoy telling
*se marier* to get married
*les années trente* the thirties (*une année*)
*ils font connaissance* they meet (*faire connaissance*)
*ils sont nés* they were born (*naître*)
*pour plaisanter* by way of a joke
*ça économise les cadeaux* it saves on presents (*économiser*)
*s'entendent très bien* get on very well (*s'entendre*)
*les jumeaux* the twins (*un jumeau, une jumelle*)
*ma sœur cadette* my younger sister (masc. *cadet*)

### La grande famille de Mme Rance

*premier petit-fils* first grandson (*un petit-fils, une petite-fille*)
*mon aîné* my eldest (*un aîné, une aînée*)
*combien de petits-enfants?* how many grandchildren (always masc. plural)
*au lieu de* instead of
*au mois d'août* in (the month of) August
*l'année dernière* last year
*il y en a encore un?* is there another one (still)?
*retardataire* late arrival (*un retardataire, une retardataire*)

### Coup de sonnette imprévu

*coup de sonnette* ring on the doorbell (*un coup, une sonnette*)
*imprévu* unexpected (fem. *imprévue*)
*heureux* happy (fem. *heureuse*)
*qui dure* which lasts (*durer*)
*a l'air si heureuse* looks so happy
*tellement* so
*en train de faire* in the middle of doing

*des dessins* drawings (*un dessin*)
*la nappe* the tablecloth
*la sauce du gigot* the lamb gravy (*un gigot* a leg of lamb)
*épuisée* exhausted (masc. *épuisé*)
*on n'attend personne* nobody's expected
*se lève* gets up (*se lever*)
*sauf* except
*il n'a rien entendu* he didn't hear a thing
*le pauvre* poor thing (fem. *la pauvre*)

## Section 2

### Une visite inattendue

*inattendue* unexpected (masc. *inattendu*)
*bizarrement* strangely
*habillée* dressed (masc. *habillé*)
*une grande cape* a huge cape
*de laine* woollen
*écarlate* scarlet (masc. and fem.)
*assorti* matching (fem. *assortie*)
*de hautes bottes* high boots
*de cuir noir* of black leather
*une écharpe* a scarf
*des gants* gloves *(un gant)*
*également* also
*qui cachent* which hide (*cacher*)
*elle sourit* she smiles (*sourir*)
*se précipite vers* rushes towards (*se précipiter*)
*rien que pour toi!* just for you!
*elle enlève* she removes (*enlever*)
*me fait mal aux yeux* hurts my eyes
*vous ne me reconnaissez pas?* don't you recognize me? (*reconnaître*)
*sourd* deaf (fem. *sourde*)
*il a encore très bonne vue* he's still got very good eyesight
*vous permettez?* do you mind? (asking permission to remove her gloves etc)
*elle reste assise* she remains seated (masc. *il reste assis*)

## *Un hôtel deux étoiles*

*vous avez combien d'étoiles?* how many stars have you got? (in the system used for ranking hotels)

*c'est-à-dire* that is (to say)

*ce qui correspond ... à* which is the same ... as

*de bon standing* with good amenities

*chambres avec sanitaires* rooms with washing facilites and toilet en suite

*un lavabo* a washbasin

*séparé* separate (fem. *séparée*)

*à même la chambre* in the room itself

*vous essayez d'avoir trois étoiles?* are you aiming for three stars?

*notre département* our county (he means La Creuse. France is divided into 96 *départements*)

*il n'y a pas la demande* there isn't the demand for it

*à l'heure actuelle* currently

## *Vue et confort*

*qui pose beaucoup de questions* who asks a lot of questions (*poser*)

*sa montre* her watch (*une montre*)

*demain* tomorrow

*une chambre d'amis* a guest room

*vide* empty (masc. and fem.)

*vous savez* you know

*il y a de la place* there is room

*nous habitons* we live (*habiter*)

*juste à côté d'ici* very close by

*c'est gentil* it's kind of you (always masc.)

*réserver* to make a reservation

*ça dépend combien* it depends how much

*pas chère* inexpensive (masc. *pas cher)*

*j'ai l'habitude de* I'm in the habit of

*au moins* at (the) least

*j'ai besoin de calme* I need peace and quiet

*avoir une belle vue* to enjoy a beautiful view

*de mon balcon* from my balcony (*un balcon)*

*je suis très frileuse* I feel the cold a lot (masc. *je suis très frileux*)

*il y a le chauffage central* it's got central heating

*beaucoup de couvertures* lots of blankets (*une couverture*)

## Section 3

### Un mot illisible

*illisible* illegible (masc. and fem.)

*le lendemain* the next day

*hier* yesterday

*avant de partir* before leaving

*le musée* the museum

*ne se sent pas très bien* doesn't feel very well (*se sentir bien*)

*sois gentille* be nice (masc. *sois gentil*)

*une demi-heure* half an hour

*elle a laissé ce mot* she left this note (*laisser, un mot*)

*l'écriture* the handwriting (*une écriture*)

*je m'arrête de lire* I stop reading (*s'arrêter*)



### La bonne route

*je me suis perdue* I lost my way (*se perdre*)

*ce qui se passe, c'est que...* what happens is that...

*prennent notre adresse sur le Guide* get our address from the Guide

*prennent la commune* note down the name of the *commune* (*commune* is the basic administrative division in France)

*en bordure de* along the side of

*la nationale* the main road

*le bourg de Saint-Pardoux* the little town of Saint-Pardoux

*tout de suite* straight away

*un petit chemin* a small path

*qui descend* which slopes down

*à droite* to the right

*surtout* above all

*ne prenez pas Saint-Pardoux* don't go towards Saint-Pardoux

*je pensais vous l'avoir dit* I thought I'd told you

*j'ai dû oublier* I must have forgotten

*on est tenté de* it's tempting to

*un panneau* a road sign

*chambre d'hôtes* room for rent

*ça arrive* it (sometimes) happens

*malheureusement* unfortunately

*je ne vois plus la route pour vous rejoindre* I can't find the way to your place (literally 'I no longer see the road to meet up with you')

*ça se passe très bien après* and then everything's OK

## Mathilde se renseigne

*se renseigne* gets some information (*se renseigner*)

*malade* unwell (masc. and fem.)

*une pile* a stack

*tellement de questions* so many questions

*quand a lieu ... ?* when does ... take place? (*avoir lieu*)

*des concerts en plein air* open-air concerts (*un concert*)

*je pense acheter* I'm thinking of buying

*une propriété* a house

*dans le coin* in the (local) area

*un plan* a map (town map or map of how to find a house)

*la sortie sud de la ville* the southern exit to the town

*cet après-midi* this afternoon

# Section 4

## Une belle maison

*la carte* the map (road map)

*à l'envers* upside down

*entièrement* fully

*meublée* furnished (masc. *meublé*)

*les propriétaires* the owners (*un propriétaire, une propriétaire*)

*garder* to keep

*un rez-de-chaussée* a ground floor

*un étage* a (first) floor

*en haut* upstairs

*claires* bright (masc. *clair*, fem. *claire*)

*un salon* a lounge

*encore plus grand* bigger still (fem. *encore plus grande*)

*une salle de jeux* a games room

*à l'arrière* at the back

## Les Creusois, les Parisiens et les Anglais

*une manière différente* a different way

*faire les affaires* to do business

*tout à fait* quite

*la bonne affaire* the bargain

*discutent beaucoup des prix* argue about the price a lot (*discuter, un prix*)

*les bas prix* low prices

*à la fois* at the same time

*vous avez raison* you're right

*ébahis* amazed (masc. *ébahi*, fem. *ébahie*)

*le paysage* the scenery

*anciennes* old (masc. *ancien*, fem. *ancienne. Des maisons anciennes* are old houses in the positive sense of the word 'old'. *Ancien* always comes before the noun in this meaning and suggests mellowed beauty rather than disrepair or discomfort)

*à rénover* to renovate

*des pierres apparentes* with stones showing (*une pierre*)

*il n'a pas de crépi dessus* there's no pebbledash on top

*les poutres* (wooden) beams (*une poutre*)

*des cheminées en pierre* stone fireplaces (*une cheminée*)

*c'est très souvent le cas* it's very often the case

*dès qu'on a* as soon as you've got

*à peu près* more or less

*ce genre de bâtiment* that kind of building (*un bâtiment*)

*je reviens à ce que j'ai dit* coming back to what I said

*tout à l'heure* earlier (sometimes it means 'later')

*pratique* convenient (masc. and fem.)

*la beauté* the beauty

*ils le parcourent* they travel through it (*parcourir*)

*pas tellement* not really

*ce qui les attire* the thing that attracts them (*attirer*)

## Des projets surprenants

*surprenants* surprising (masc. *surprenant*, fem. *surprenante*)

*nous retournons* we go back (*retourner*)

*je vous invite au restaurant* I'm taking you out for a meal

*soudain* suddenly

*quelque chose* something
*revoir* to see again
*étudiants* students (*un étudiant, une étudiante*)
*plusieurs fois* several times
*je suis veuve* I'm a widow (masc. *je suis veuf*)
*je m'installe ici* I'm settling down here (*s'installer*)
*un jour* one of these days
*étonnée* surprised (masc. *étonné*)
*je ne sais pas quoi dire* I don't know what to say
*tout peut arriver* anything can happen
*quatre-vingt-deux* eighty-two

## Section 5

### Au Canard Joyeux

*Mathilde commande* Mathilde orders (*commander*)
*des apéritifs* drinks before the meal (*un apéritif*)
*la carte* the menu
*vaguement* vaguely
*inquiète* worried (masc. *inquiet*)
*comme entrée* as a starter (*une entrée*)
*les crudités* mixed salads
*au régime* on a diet
*le plat du jour* the dish of the day
*la poitrine de volaille* the breast of duck (in this case it's a duck but *volaille* can refer to other poultry too)
*accompagnée de* served with (masc. *accompagné de*)
*légumes* vegetables (*un légume*)
*frais* fresh (fem. *fraîche*)
*comme boissons* as a drink (*une boisson*)
*gazeuse* fizzy (masc. *gazeux*)
*sec* dry (fem. *sèche*)
*du poivre rose* pink peppercorns
*du thym* thyme

## Le pâté de pommes de terre

*on va émincer* we're going to thinly cut
*en rondelles* in (round) slices
*très fines* very thin (masc. *fin*, fem. *fine*)
*les yeux fermés* with (my) eyes shut
*il faut compter* you have to reckon on
*un kilo cinq* one and a half kilos (one kilo five hundred grammes)
*les oignons* the onions (*un oignon*)
*du sel* some salt
*pareil* the same
*un peu de parfum* a bit of flavour
*mon ail* my garlic (*de l'ail, un ail*)
*mon échalote* my shallots (*une échalote*)

## Départ précipité

*précipité* sudden (fem. *précipitée*)
*aux amandes* with almonds (*une amande*)
*le cadre est joli* the decor is nice (*cadre* may also refer to surroundings)
*vous êtes bien Mlle Leroux?* you are Mlle Leroux, aren't you?
*qui n'est pas bien* who isn't well
*partout* everywhere
*se souvient... des restaurants* remembers the restaurants (*se souvenir de*)

# Section 6

## Fièvre et piqûres

*mon beau-frère* my brother-in-law (*un beau-frère, une belle-sœur*)
*elle a beaucoup de fièvre* she has a high temperature (*de la fièvre*)
*des piqûres* injections (*une piqûre*)
*l'infirmière* the nurse (*un infirmier, une infirmière*)
*ça ne va pas mieux* things aren't any better
*une réunion* a meeting
*est-ce que tu peux t'occuper des jumeaux* can you look after the twins?
*directeur* manager (*une directrice*)
*les professeurs* teachers (fem. *le professeur*, or, in schoolchildren's slang, *la prof*)
*secondaire* secondary school system (masc. and fem.)
*je n'ai pas spécialement envie de* I don't particulary fancy

## À quoi sert l'ANPE

*qu'est-ce que vous faites dans la vie?* what's your job?
*un organisme qui dépend de l'État* a state-aided organisation
*une entreprise privée* a privately-owned company
*d'autre part* on the other hand
*apporter des services* to service (*un service*)
*au chômage* unemployed
*dans la recherche d'un emploi* in searching for a job
*dans la préparation d'un emploi* in preparing to get a job
*un métier* a profession (or a trade)
*exercer* to practise
*les stages de formation* training (*un stage* is a course)
*déjà* already
*se perfectionner* to upgrade (one's) skills
*je fais tourner la boutique* I mind the shop

## Une indigestion?

*ranger* to tidy up
*la fête* the party
*elle a mal à la tête* she has a headache
*(elle a) mal au cœur* she feels nauseous
*elle a mal au ventre* she has stomach ache
*elle prend sa température* she checks her temperature
*forte* high (masc. *fort*. The more general meaning is 'strong' or 'hard')
*la même chose* the same thing
*essaye de* try to (*essayer*)
*refuse de boire* won't take a drink

# Section 7

## Découverte

*en parfaite santé* in excellent health
*tu vas mieux?* are you feeling better?
*elle jette un coup d'œil à* she casts a glance towards
*son mari* her husband (*un mari*)
*mon oreille* my ear (*une oreille*)

*arrête!* stop it!

*attraper* to reach

*le frigo* the fridge

*le buffet* the (kitchen) dresser

*légère* light (masc. *léger*)

*rire* to laugh

*quelle gourmande!* how greedy! (masc. *gourmand*)

## Le diable, le meunier et sa fille

*le diable* the devil

*le meunier* the miller (fem. *une meunière*)

*est tombé amoureux de* fell in love with

*son moulin* his mill (*un moulin*)

*sur le bord de la rivière* on the river bank

*avait beaucoup d'ennuis* was in a lot of trouble

*la roue* the wheel

*détourner* to divert

*le ruisseau* the stream

*la nôtre* ours

*dure* hard (masc. *dur*)

*piocher* to dig

*il n'y arrivait pas* he couldn't manage (to do) it

*se plaindre* to complain

*faire un marché* to do a deal

*qui me prendra à peine une nuit* which will take me no more than one night to do

*le lever du soleil* sunrise

*le chant du coq* the cock's crow

*fou de joie* overjoyed (fem. *folle de joie*)

*comme un malade* like crazy (fem. *comme une malade*)

*remue* shifts (*remuer*)

*malgré tout* in spite of everything

*sûr de lui* self-confident (fem. *sûre d'elle*)

*un très beau bijou* a very beautiful jewel

*en guise de* by way of a

*cadeau de fiançailles* engagement present (*un cadeau. Fiançailles* is always fem. plural)

*le bruit* the noisc

*bien sûr* of course
*ennuyée* really bothered (masc. *ennuyé*)
*maligne* cunning (masc. *malin*)
*la chandelle* the candle
*épouvantable* horrendous (masc. and fem.)
*le reflet* the reflection
*sa bague* her ring (*une bague*)
*des éclats de lumière* flashes of light (*un éclat, une lumière*)
*le poulailler* the hen house
*la bougie* the candle
*étourdi* confused (fem. *étourdie*. Generally this means stunned)
*se mit à chanter* started singing
*alors que* although
*il faisait encore nuit* it was still dark
*réussit à finir* suceeded in finishing (*réussir*)
*tout seul* all on his own
*et le diable a perdu* and the devil lost the deal (*perdre*)

## La bague de fiançailles

*nous emmenons* we take (away) (*emmener*)
*elle reçoit* she receives (*recevoir*)
*les soins nécessaires* the necessary treatment (*soin* is masc. It is most often used in the plural)
*la salle d'attente* the waiting room
*nous vivions ensemble* we lived together (*vivre*)
*une famille aisée* a well-to-do family
*en cachette* in secret

# Section 8

## Bulletin d'informations

*le bulletin d'informations* the news
*a une constitution robuste* is very healthy
*une personne âgée* an elderly person
*prévenir* to warn
*seulement voilà* but the problem is
*je le ramène chez lui* I take him back to his house (*ramener*)
*la rencontre au sommet* the summit meeting

*chefs d'État* heads of state (*un chef d'État, une femme chef d'État*)

*essais de vaccin anti-sida* aids vaccine experiments (*un essai, un vaccin, le sida*)

*est priée de* is requested to (*prier*)

*le présentateur* the newsreader (*une présentatrice*)

*la météo* the weather forecast

*beau temps* fine weather

*malheureux* unhappy (fem. *malheureuse*)

## Les Verts et les Chasseurs

*les Verts* the Green party

*les Chasseurs* the party in favour of game sports

*j'ai un peu l'impression que* I slightly feel that

*prêts* ready (masc. *prêt*, fem. *prête*)

*tirer sur* to shoot at

*ils sont [...] de même poids* they have the same [political] weight

*qui a été élu* who was elected (*élire*)

*chasse* shooting (*la chasse*)

*pêche* fishing (*la pêche*)

*j'avoue* I have to say (*avouer*)

*j'ai une version beaucoup plus proche des* I feel much closer to

*une zone rurale* a country area

*il est vrai que* it's true that

*d'ordinaire* usually

*bien souvent* very often

*des citadins* town-dwellers (*un citadin, une citadine*)

*le milieu naturel* the (natural) environment

## Indignation mutuelle

*sonner* to ring

*la voix* the voice

*d'urgence* urgently

*vous vouliez vous débarrasser de* you wanted to get rid of (*se débarrasser de*)

*s'exclame* exclaims (*s'exclamer*)

*mon Dieu!* good God!

# Section 9

## Le vrai coupable

*coupable* culprit (*un coupable, une coupable*)
*je l'ai choisie* I chose it (*choisir*)
*mon placard* my cupboard (*un placard*)
*mon neveu* my nephew (*un neveu, une nièce*)
*ça suffit pour* it's good enough for
*empêcher... de manger* to prevent... from eating

## Une amoureuse de la nature

*je me promène* I go for a walk (*se promener*)
*s'il fait beau* if the weather's good
*marcher* to walk
*je fais beaucoup de marche à pied* I go rambling a lot
*ma chienne* my dog (*chienne* is the fem. of *chien*)
*le long des étangs* along the edge of the lakes (*un étang*)
*des jumelles* binoculars (in this meaning, always fem. plural)
*un grand cou* a long neck
*des plumes* feathers (*une plume*)
*nager* to swim
*formidable* terrific (masc. and fem.)
*le vilain petit canard* the ugly duckling (*vilain* can mean ugly or naughty – here both – and its fem. is *vilaine*)
*suivait* followed (*suivre*)
*une loutre* an otter
*ça se met sur le dos* it goes on to its back
*ça fait la planche* it floats on its back
*ça refait sa petite toilette* it gives itself another quick wash (*faire sa toilette*)
*deux petites pattes* two little paws (*une patte*)
*se nettoyait* cleaned (*se nettoyer*)
*elle se faisait le poil* it licked its coat clean
*nourrissaient* brought food to (*nourrir*)
*les roseaux* the bulrushes (*un roseau*)
*un vol* a flight

## *Épilogue*

*son oncle* his uncle (*un oncle, une tante*)

*bon marché* cheap

*un carnet* a notebook

*des crayons* pencils (*un crayon*)

*quelquefois* sometimes

## *Les mots de la grammaire*

**adjective** A word like 'red', 'huge' or 'terrific' which is associated with a noun and describes a feature of the person, thing or idea which the noun stands for.

**agree, agreement** When we say that a word agrees with another, we mean that its spelling changes according to the word which comes just before or just after it: 'one child' but 'three child*ren*'. In French there is much more of a need to pay attention to agreement than in English, due to the fact that words may be masculine or feminine, as well as singular or plural.

**feminine** In French all nouns are either feminine or masculine, and some have both a masculine and a feminine (eg, *une manœuvre* is 'a manœuvre' but *un manœuvre* is 'a labourer'). When talking about humans, most feminine nouns apply to females, but by no means all (eg, a male victim is *une victime*). When referring to things and ideas, the division is even more arbitrary, and when you learn new nouns you have to memorize whether they are feminine or masculine.

**form** 'Was' and 'were' are different forms of the verb 'to be'. So are 'is' and 'am' and groups of words like 'were being' or 'would have been'.

**infinitive** When you look them up in a dictionary, verbs are almost always listed in the infinitive (eg, 'to run' or *courir*). The infinitive gives the idea of the action indicated by the verb, but doesn't say anything about who or what is doing the action.

**masculine** see **feminine**

**noun** A noun is a word like 'apple' or 'nightmare'. Nouns refer to things, people or ideas.

**plural** A word may be plural (referring to more than one person, thing or idea), or singular (referring to only one person, thing or idea).

**preposition** Words like 'of', 'for', 'on', 'in', 'above', 'behind'. In French, *sur, pour, de, à* etc. Prepositions come before nouns (you might say that they are in a 'position previous' to the noun).

**singular** see **plural**

**tense** An action takes place in time (present, past, future) and in a certain way (often, always, only once, with or without interruption). This is shown by the tense of the verb. In French different tenses are made by changing the last few letters of the verb, and by using *être* and *avoir* with the verb.

**verb** A word that describes what somebody feels or thinks or does, and what something is or does. Verbs change according to how many people or things do the action, when the action takes place and the degree of certainty with which the action is presented.